Exercices Audio de Grammaire

Maïa **G**régoire et **A**lina **K**ostucki
Professeurs de français langue étrangère

Direction éditoriale : Michèle Grandmangin
Édition : Christine Ligonie
Illustrations : Eugène Collilieux
Conception maquette et mise en pages : Francine Bakouche
Couverture : CGI

MODE D'EMPLOI

Les *Exercices audio de grammaire* se présentent comme un complément utile à la *Grammaire progressive du français*, niveau intermédiaire. L'ouvrage, qui a pour but principal de faire travailler la grammaire en auto-apprentissage, se prête aussi à de multiples utilisations en classe.

Quatre-vingts dialogues enregistrés avec des voix d'hommes, de femmes et d'enfants ainsi que divers bruitages permettent :
1. de tester la compréhension de l'étudiant,
2. de fournir des structures de la langue réutilisables dans la vie quotidienne,
3. de mettre en scène un point de grammaire précis.

Quatre-vingts images en couleurs représentant des scènes de la vie quotidienne illustrent ces dialogues. Elles contiennent de nombreux éléments qui peuvent servir :
1. d'illustration pour le vocabulaire introduit,
2. de support du point de grammaire, exploitable de manière interactive,
3. de déclencheur de communication, utilisables en classe.

Deux cent quatre-vingts exercices de systématisation de type question / réponse permettent de répondre :
1. oralement en comparant sa production aux corrigés enregistrés,
2. par écrit en comparant sa production aux corrigés donnés en fin d'ouvrage.

Un index détaillé permet de trouver les points de grammaire à travailler.

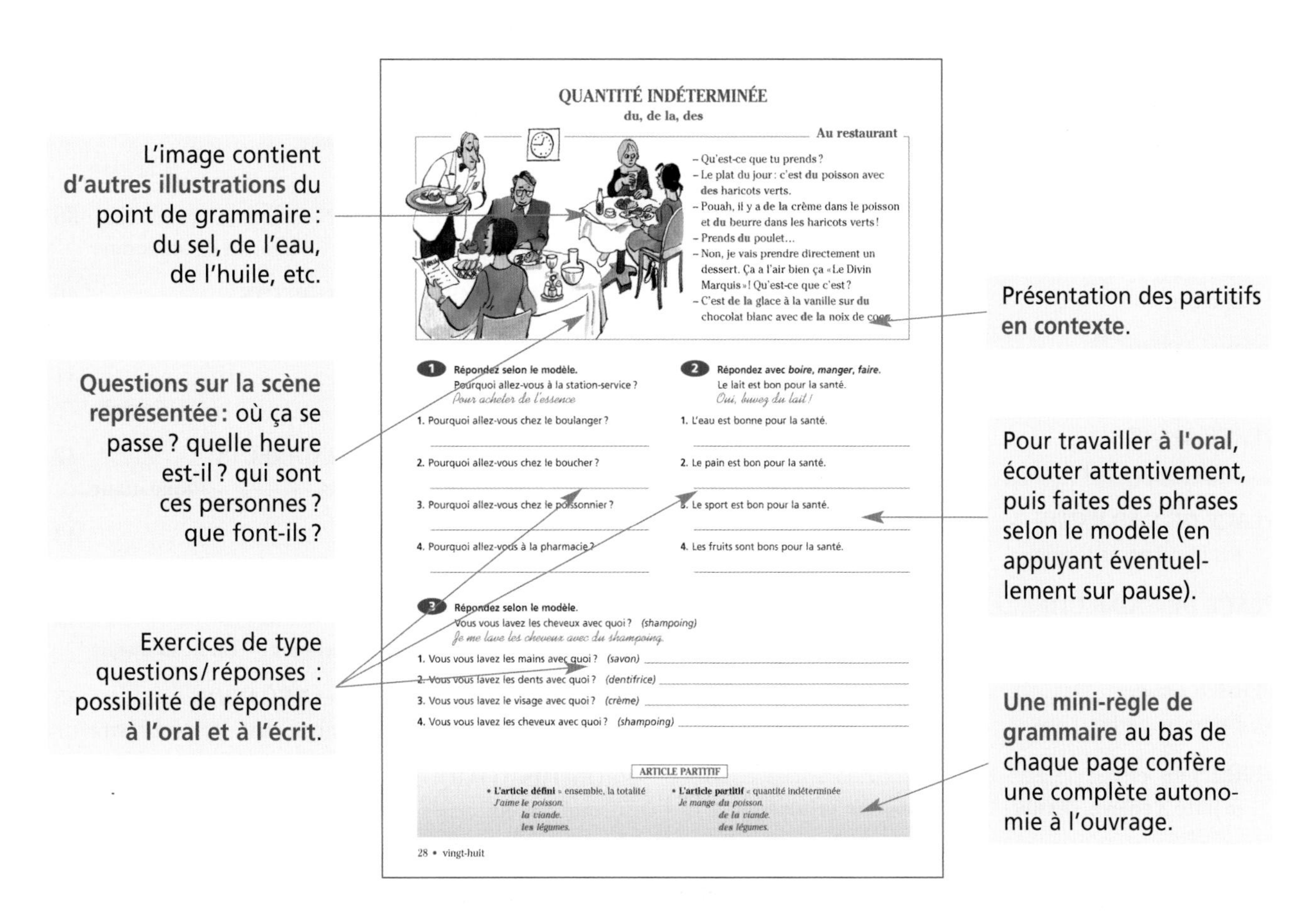

QUANTITÉ INDÉTERMINÉE

du, de la, des

Au restaurant

– Qu'est-ce que tu prends ?
– Le plat du jour : c'est **du** poisson avec **des** haricots verts.
– Pouah, il y a **de la** crème dans le poisson et **du** beurre dans les haricots verts !
– Prends **du** poulet...
– Non, je vais prendre directement un dessert. Ça a l'air bien ça « Le Divin Marquis » ! Qu'est-ce que c'est ?
– C'est **de la** glace à la vanille sur **du** chocolat blanc avec **de la** noix de coco.

1 **Répondez selon le modèle.**
Pourquoi allez-vous à la station-service ?
Pour acheter de l'essence
1. Pourquoi allez-vous chez le boulanger ?
2. Pourquoi allez-vous chez le boucher ?
3. Pourquoi allez-vous chez le poissonnier ?
4. Pourquoi allez-vous à la pharmacie ?

2 **Répondez avec *boire, manger, faire*.**
Le lait est bon pour la santé.
Oui, buvez du lait !
1. L'eau est bonne pour la santé.
2. Le pain est bon pour la santé.
3. Le sport est bon pour la santé.
4. Les fruits sont bons pour la santé.

3 **Répondez selon le modèle.**
Vous vous lavez les cheveux avec quoi ? *(shampoing)*
Je me lave les cheveux avec du shampoing.
1. Vous vous lavez les mains avec quoi ? *(savon)*
2. Vous vous lavez les dents avec quoi ? *(dentifrice)*
3. Vous vous lavez le visage avec quoi ? *(crème)*
4. Vous vous lavez les cheveux avec quoi ? *(shampoing)*

ARTICLE PARTITIF

• **L'article défini** = ensemble, la totalité
J'aime le poisson.
la viande.
les légumes.

• **L'article partitif** = quantité indéterminée
Je mange du poisson.
de la viande.
des légumes.

28 • vingt-huit

SOMMAIRE

VERBE *ÊTRE*

prépositions à, de, chez

Présentations

– Vous êtes **d'où** ?
– Je suis **de** Nice. Et vous ?
– Je suis grec. Je suis **d'**Athènes.
– Vous êtes **à** l'hôtel ou **au** camping ?
– Je suis **chez** des amis.
– Ah ! Et vous êtes **à** Nice pour les vacances ?
– Non, je suis ici pour travailler. Je suis photographe.

1 **Répondez selon les modèles.**

Excusez-moi… vous êtes d'où ? *(Londres)* *Je suis de Londres.*
Et actuellement, vous êtes où ? *(Paris)* *Actuellement, je suis à Paris.*

1. Excusez-moi… vous êtes d'où ? *(Berlin)* ____________________
2. Et actuellement, vous êtes où ? *(Nice)* ____________________
3. Excusez-moi… vous êtes d'où ? *(Athènes)* ____________________
4. Et actuellement, vous êtes où ? *(Londres)* ____________________
5. Excusez-moi… vous êtes d'où ? *(Londres)* ____________________
6. Et actuellement, vous êtes où ? *(Paris)* ____________________

2 **Répondez selon le modèle.**

Le samedi, vous êtes à l'école ou <u>à la maison</u> ? *Le samedi, je suis à la maison.*

1. Le matin, vous êtes à la maison ou <u>à l'école</u> ?
____
2. À midi, vous êtes au bureau ou <u>au restaurant</u> ?
____
3. Le soir, vous êtes au bureau ou <u>chez vous</u> ?
____
4. Le dimanche, vous êtes chez vous ou <u>chez vos parents</u> ? ____________________

3 **Répondez selon le modèle.**

Vous êtes à Paris pour travailler ?
Oui, je suis à Paris pour travailler.

1. Vous êtes à Londres pour travailler ?
____
2. Vous êtes à Paris pour faire du tourisme ?
____
3. Vous êtes à Versailles pour voir le château ?
____
4. Vous êtes à l'école pour apprendre le français ?
____

À, DE, CHEZ

- **à** + lieu où on est
  *Je suis **à** Paris / **à** l'école / **au** bureau.*
- **de** + lieu d'origine
  *Je suis **de** Bahia / **d'**Athènes.*
- **chez** + personne
  *Je suis **chez** un ami / **chez** Paul.*

VERBE *ÊTRE*
pronoms sujets

En retard...

– Salut Marc ! Le prof est là ?
– Non. Et je ne sais pas où **il est**.
– Et les étudiants ?
– **Ils sont** à la cafétéria.
– Alors, **nous sommes** en avance ?
– Non, **on est** en retard. Regarde la pendule, il est dix heures !
– Zut, c'est vrai, l'heure a changé cette nuit. C'est l'heure d'été... Bon, on va au café ?

1 **Répondez selon le modèle.**

Où est le professeur ? *(bibliothèque)*
Il est à la bibliothèque.

1. Où sont les étudiants ? *(café)*
____
2. Où est le directeur ? *(restaurant)*
____
3. Où sont les enfants ? *(école)*
____
4. Où est le vélo ? *(parking)*
____

2 **Répondez selon le modèle.**

Nous sommes en retard ?
Oui, on est en retard !

1. Nous sommes en avance ?
____
2. Nous sommes vendredi ?
____
3. Nous sommes le 3 octobre ?
____
4. Nous sommes à l'heure ?
____

3 **Répondez selon les modèles.**

La directrice est au premier étage ? *Oui, elle est au premier étage.*
Et les secrétaires ? *Elles sont aussi au premier étage.*

1. Le professeur est au deuxième étage ? _______________
   Et les étudiants ? _______________
2. La salle d'informatique est au troisième étage ? _______________
   Et le laboratoire de langues ? _______________
3. La bibliothèque est au rez-de-chaussée ? _______________
   Et les salles de classe ? _______________

VERBE *ÊTRE*

Je suis à l'école.
Tu es au lycée.
Il / elle / on est à l'université.

Nous sommes en avance.
Vous êtes en retard...
Ils / elles sont à l'heure.

ADJECTIF
masculin et féminin

Petites annonces

– Hé, Marta. Regarde cette annonce. C'est pour toi !
*« Homme blon**d**, cultivé, mince, végétari**en** et non fum**eur** cherche :*

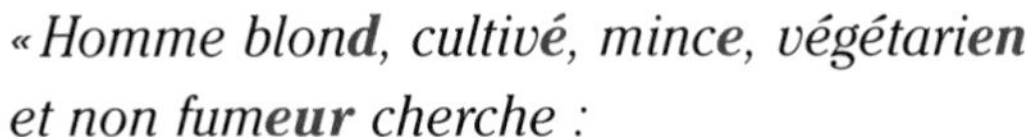

*Femme blon**de**, cultiv**ée**, mince, végétari**enne** et non fum**euse** ! »*

– Moi, je préfère celle-là :
*« Homme bana**l** cherche femme bana**le** pour relation bana**le**… »*

1 **Complétez les annonces.**
Homme blond
Homme blond cherche femme blonde.

1. Homme brun
____
2. Homme intelligent
____
3. Homme sentimental
____
4. Homme sportif
____
5. Homme marié
____

2 **Complétez les dialogues.**
Paul est grand.
Sa femme est encore plus grande !

1. Paul est intelligent.
____
2. Paul est sympathique.
____
3. Paul est sérieux.
____
4. Paul est gentil.
____
5. Paul est beau.
____

3 **Répondez selon le modèle.**
L'assiette est chaude ?
Oui, elle est très chaude.
Le plat est chaud ? *Oui, il est très chaud.*

1. La soupe est chaude ? _______________
2. Le café est chaud ? _______________
3. Le poisson est bon ? _______________
4. La viande est bonne ? _______________
5. La valise est lourde ? _______________

4 **Répondez avec le contraire.**
Le café est froid ?
Non, il est chaud.

1. Le thé est chaud ? _______________
2. La soupe est froide ? _______________
3. La valise est légère ? _______________
4. Le bar est fermé ? _______________
5. La pharmacie est ouverte ? _______________
6. L'exercice est difficile ? _______________

FÉMININ des ADJECTIFS

- **En général :** masculin + e
  blond / blonde – grand / grande – marié / mariée
- **Contraires :**
  petit / grand – facile / difficile – chaud / froid – lourd / léger – fermé / ouvert
- **Cas particuliers :**
  bon / bonne – gentil / gentille – beau / belle – gros / grosse

NÉGATION (1)

ne… pas, moi aussi / moi non plus

Rien ne va

– Je suis trop grosse, maman…
– Mais non, tu **n'**es **pas** trop grosse.
– Mon nez est trop long…
– Mais non, il **n'**est **pas** trop long.
– Mes cheveux sont horribles…
– Mais non, ils **ne** sont **pas** horribles !
– Je suis myope.
– **Moi aussi**, mais ça donne du charme.
– Je **ne** suis **pas** musclée.
– **Moi non plus**, mais c'est plus féminin.

1 Répondez selon le modèle.

Le mardi, les musées sont fermés. Et le lundi ? *Le lundi, ils ne sont pas fermés.*

1. Le samedi, les magasins sont ouverts. Et le dimanche ? ______
2. Le matin, ma fille est à l'école. Et l'après-midi ? ______
3. L'après-midi, je suis au bureau. Et le soir ? ______
4. En été, nous sommes en vacances. Et en hiver ? ______
5. Le mardi, les musées sont fermés. Et le dimanche ? ______
6. En hiver, les jours sont très courts. Et en été ? ______

2 Répondez selon le modèle.

Vous êtes français ?
Non, je ne suis pas français.

1. Vous êtes professeur ?
______
2. Vous êtes en vacances ?
______
3. Nous sommes en juillet ?
______
4. On est mardi ?
______
5. On est en hiver ?
______

3 Répondez selon les modèles.

Je suis en vacances et vous ? *Moi aussi.*
Je ne suis pas d'ici et vous ? *Moi non plus.*

1. Je suis étudiant et vous ?
______
2. Je suis à l'hôtel et vous ?
______
3. Je ne suis pas français et vous ?
______
4. Je suis seul ici et vous ?
______
5. Je ne suis pas marié et vous ?
______

NÉGATION

- **Négation** = **ne** verbe **pas**
  *Je **ne** suis **pas** français.*
  *Je **ne** suis **pas** marié.*
- **moi aussi** : confirme une affirmation
  Je suis marié.
  – Moi aussi.
- **moi non plus** : confirme une négation
  *Je **ne** suis **pas** marié.*
  – Moi non plus.

ARTICLES DÉFINIS et INDÉFINIS

le, la, les un, une, des

À l'hôtel

– Bonjour madame, je voudrais **une** chambre pour **une** nuit.
– Voilà c'est **la** chambre 32. Au troisième étage. Vous avez **des** bagages ?
– Seulement **une** valise et **un** sac.
– Montez **les** bagages de monsieur, s'il vous plaît.
– Non, prenez seulement **la** valise. Je garde **le** sac.
– Je suis désolée, **l'**ascenseur est en panne. Vous devez monter à pied.

1 Répondez selon le modèle.

Il y a un téléphone dans la chambre ?
Oui, mais malheureusement le téléphone est en panne.

1. Il y a un réfrigérateur dans la chambre ? ______
2. Il y a un ascenseur dans l'hôtel ? ______
3. Il y a une télévision dans le salon ? ______
4. Il y a un ordinateur à la réception ? ______

2 Répondez selon le modèle.

Vous avez commandé une bière et un café ? *Oui, la bière, c'est pour madame et le café, c'est pour moi.*

1. Vous avez commandé un steak et une salade ? ______
2. Vous avez commandé une pizza et des saucisses ? ______
3. Vous avez commandé des fruits et un yaourt ? ______
4. Vous avez commandé un whisky et une tisane ? ______

3 Faites des phrases.

(veste) *Mets une veste.*
Mets la veste noire.

1. *(pull)* ______
2. *(manteau)* ______
3. *(gants)* ______
4. *(chaussures)* ______
5. *(bottes)* ______

4 Faites des phrases.

(rose / fleur)
La rose est une belle fleur.

1. *(France / pays)* ______
2. *(français / langue)* ______
3. *(automne / saison)* ______
4. *(Jaguar / voiture)* ______
5. *(bleu / couleur)* ______

ARTICLE

• **L'article indéfini** = type d'objet
*Mets **une** robe.*

un	*une*
des	

• **L'article défini** = chose unique
*Mets **la** robe bleue.*

le	*la*
les	

ARTICLES CONTRACTÉS

au, aux du, des

Taxi !

– Allô ! taxi ? Je voudrais une voiture pour le 7 rue **du** Moulin.

– Le 5 rue **des** Gobelins ?

– Non, le 7 : quatre plus trois… rue **du** Moulin, à côté **de l'**hôpital, en face **de la** piscine.

– Oui, oui j'ai compris. J'ai une mercedes grise. Vous allez où ?

– **À l'**aéroport de Roissy. **Au** terminal B.

1 **Faites des phrases.**

(métro)
Vous habitez à côté du métro ?

1. *(marché)* ______________________
2. *(poste)* ______________________
3. *(hôpital)* ______________________
4. *(piscine)* ______________________
5. *(square)* ______________________
6. *(banque)* ______________________
7. *(musée)* ______________________
8. *(stade)* ______________________

2 **Répondez selon le modèle.**

Vous êtes en forme tous les jours ?
Oh non, ça dépend des jours.

1. Vous prenez le même menu tous les jours ?
____
2. Vous sortez quel que soit le temps ?
____
3. Vous allez à toutes les réunions ?
____
4. Vous prenez un mois de vacances chaque année ?
____

3 **Répondez selon le modèle.**

Où retire-t-on de l'argent ?
On retire de l'argent à la banque.

1. Où est-ce qu'on prend le train ?
____
2. Où prend-on l'avion ?
____
3. Où est-ce qu'on apprend à lire ?
____
4. Où retire-t-on son visa ?
____

4 **Faites des phrases.**

(cinéma) *Je vais au cinéma ce soir, vous voulez venir ?*

1. *(théâtre)* ______________________
____
2. *(opéra)* ______________________
____
3. *(restaurant)* ______________________
____
4. *(Champs-Élysées)* ______________________
____

ARTICLES CONTRACTÉS

• **de** et **à** se contractent avec **le** et **les**.

de + le =	**du**	à + le =	**au**
de + les =	**des**	à + les =	**aux**

QUESTIONS (1)

qui est-ce ? qu'est-ce que c'est ?

Visite

(dring ! dring !)

– On sonne ! **Qui est-ce ?**

– **C'est** Alex. **C'est** un copain… Salut Alex !

– Salut Léo. Bonjour euh… madame !

– **Ce n'est pas** une dame ! C'est Julie. **C'est** ma sœur. Elle a treize ans !

– Oh là là, **elle** est grande !

(cui… cui… cui…)

– **Qu'est-ce que c'est ?**

– **C'est** mon portable. **Il est** rigolo, non ?

1 Posez des questions.

C'est un cadeau. *Qu'est-ce que c'est ?*
C'est un nouvel étudiant. *Qui est-ce ?*

1. C'est un invité surprise. ____________
2. C'est un plat original. ____________
3. C'est un fruit exotique. ____________
4. C'est un acteur célèbre. ____________
5. C'est un nouveau gadget. ____________
6. C'est un grand écrivain. ____________
7. C'est un chanteur connu. ____________
8. C'est une boisson sucrée. ____________

2 Répondez selon le modèle.

C'est mon frère.
C'est ton frère ? Il est sympathique !

1. C'est mon cousin.
____
2. C'est ma mère.
____
3. C'est mon professeur.
____
4. C'est ta voisine.
____

3 Écoutez les bruits. Répondez.

(téléphone) Qu'est-ce que c'est ? *C'est le téléphone !*
Il est rigolo ! *Oui, il est vraiment rigolo !*

1. *(interphone)* Qu'est-ce que c'est ? ____________
Il est bizarre ! ____________
2. *(aspirateur)* Qu'est-ce que c'est ? ____________
Il est bruyant ! ____________
3. *(moustique)* Qu'est-ce que c'est ? ____________
Il est énorme ! ____________

QUI EST-CE ? QU'EST-CE QUE C'EST ?

• **Qui est-ce ?**
= pour identifier une personne
– C'est un / le / mon voisin

• **Qu'est-ce-que c'est ?**
= pour identifier une chose
– C'est un / le / mon appartement.

• **Il / elle est**
= pour décrire une chose ou une personne.
– Il est grand / beau, etc.

IDENTIFICATION

c'est il est

Mes collègues

– Tiens, regarde, **c'est une** photo de mes collègues de bureau. Le grand brun, à droite, **c'est** Joseph. **Il est** photographe.

– Et la jolie blonde, qui est-ce ?

– **C'est la** nouvelle stagiaire. **Elle est** allemande. L'homme un peu gros, à gauche, c'est Jean. **C'est notre** comptable. **Il est** adorable.

– Tu aimes ton travail ?

– Oh oui, la publicité, **c'est** intéressant, **c'est** amusant et **c'est** bien payé.

1 **Répondez selon le modèle.**

Robert Doisneau est photographe ? *Oui, il est photographe. C'est un photographe très connu.*

1. Plantu est dessinateur ? ____________________
2. Fanny Ardant est actrice ? ____________________
3. Christine Ockrent est journaliste ? ____________________
4. Jean Nouvel est architecte ? ____________________
5. Agnès Varda est cinéaste ? ____________________
6. Georges Charpak est physicien ? ____________________

2 **Répondez selon le modèle.**

Jean est comptable ?
Oui, et c'est un bon comptable.

1. Pierre est médecin ?
____
2. Anna est directrice ?
____
3. Sophie est secrétaire ?
____
4. Paul est professeur ?
____

3 **Répondez selon le modèle.**

« La Paloma » est une belle chanson !
Oui, c'est beau !

1. Paris est une belle ville !
____
2. La vodka est une boisson forte !
____
3. La laine est une matière chaude !
____
4. Tokyo est une grande ville !
____

C'EST IL EST

- **Profession**
  *Il est ingénieur. **C'est un** bon ingénieur.*
  ***Elle est** actrice. **C'est une** actrice connue.*
- **Commentaire**
  *Les glaces, **c'est bon** !*
  *La mer, **c'est beau** !* (adjectif neutre)

ADJECTIFS POSSESSIFS

mon, ton, son

Ma famille

– Je suis toute seule ce soir.

– Où est **ta** fille ?

– **Ma** fille ? Elle dîne chez **sa** copine Julie.

– Et **ton** fils ?

– **Mon** fils ? Il dort chez **son** copain Alex.

– **Ton** mari n'est pas là ?

– Non, il dîne chez **ses** parents avec **son** frère et **sa** sœur.

– Alors viens dîner chez moi, comme ça, tu connaîtras Tania, **mon** amie brésilienne.

1 **Répondez selon le modèle.**

Où est ton portable ?
Mon portable ? Il est dans mon sac.

1. Où est ton agenda ? ____________
2. Où est ta montre ? ____________
3. Où est ta brosse à dents ? ____________
4. Où est ton écharpe ? ____________
5. Où sont tes clés ? ____________

2 **Faites des phrases.**

Ma femme est en voyage.
Il dit que sa femme est en voyage.

1. Ma baby-sitter est en retard. ____________
2. Mes enfants sont malades. ____________
3. Mon ordinateur est en panne. ____________
4. Mon entreprise est en difficulté. ____________
5. Mon analyste est en congé. ____________

3 **Faites des phrases.**

Il a perdu son sac.
Ils ont perdu leurs sacs et leurs clés.

1. Il a perdu sa montre. ____________
2. Il a perdu son écharpe. ____________
3. Il a perdu sa carte d'identité. ____________
4. Il a perdu son parapluie. ____________
5. Il a perdu ses lunettes. ____________
6. Il a perdu ses gants. ____________

4 **Complétez selon le modèle.**

Il a 4 ans. Ses mains sont bien propres.
Oui, et il se lave les mains tout seul.

1. Il a 4 ans. Ses ongles sont bien coupés.
____
2. Il a 4 ans. Ses dents sont bien brossées.
____
3. Il a 4 ans. Ses cheveux sont bien propres.
____

ADJECTIFS POSSESSIFS

Je	*mon père*	*ma mère*	*mes parents*	Nous	*notre père*	*notre mère*	*nos parents*
Tu	*ton père*	*ta mère*	*tes parents*	Vous	*votre père*	*votre mère*	*vos parents*
Il / elle	*son père*	*sa mère*	*ses parents*	Ils / elles	*leur père*	*leur mère*	*leurs parents*

⚠ **ma, ta, sa** + voyelle = **mon, ton, son**

PRONOMS POSSESSIFS

le mien, le tien...

Âmes sœurs

– C'est **ton** verre ?

– Non, c'est **le tien** !

– C'est **ta** serviette ?

– Non, c'est **la tienne** !

– Ah, ah, ça, c'est **mon** portable...

– Non, je crois que c'est **le mien** !
Oui. Hummm... Qui est-ce qui m'appelle ?
Je ne vois rien du tout.

– C'est normal, ce ne sont pas **tes** lunettes.
Ce sont **les miennes** !

1 Répondez selon le modèle.
C'est ton portable ?
Je ne sais pas si c'est le tien ou le mien.

1. C'est ton verre ? ____________________
2. C'est ta serviette ? ____________________
3. C'est ton couteau ? ____________________
4. Ce sont tes gants ? ____________________
5. Ce sont tes lunettes ? ____________________

2 Répondez selon le modèle.
Tu crois que c'est son sac ?
Oui, je crois que c'est le sien.

1. Tu crois que c'est son vélo ? ____________
2. Tu crois que c'est sa voiture ? ____________
3. Tu crois que c'est sa veste ? ____________
4. Tu crois que ce sont ses clés ? ____________
5. Tu crois que ce sont ses gants ? ____________

3 Reprenez et complétez.
J'ai éteint mon portable. Et vous ? *J'ai éteint mon portable. Et vous, avez-vous éteint le vôtre ?*

1. J'ai réservé ma place. Et vous ? ______________________________
2. J'ai emporté mon ordinateur. Et lui ? ______________________________
3. J'ai enregistré mes valises. Et elle ? ______________________________
4. J'ai expédié mes lettres. Et eux ? ______________________________
5. J'ai terminé mes exercices. Et vous ? ______________________________
6. J'ai rendu mes livres. Et eux ? ______________________________

PRONOMS POSSESSIFS

Je	*le mien*	*la mienne*	*les miens*	*les miennes*	Nous	*le nôtre*	*la nôtre*	*les nôtres*
Tu	*le tien*	*la tienne*	*les tiens*	*les tiennes*	Vous	*le vôtre*	*la vôtre*	*les vôtres*
Il / elle	*le sien*	*la sienne*	*les siens*	*les siennes*	Ils / elles	*le leur*	*la leur*	*les leurs*

ADJECTIFS DÉMONSTRATIFS

ce, cette, ces

Paysage tropical

– Regarde **ce** paysage : **ce** ciel, **cette** mer, **ces** palmiers, **ces** fleurs !

– C'est magnifique ! Mais **cet** animal horrible, là-bas. Qu'est-ce que c'est ?

– C'est un iguane : il est magnifique !

– Regarde **cet** oiseau rouge ! Et sens **cette** odeur de jasmin !

– Mmmm, en fait, ça c'est mon parfum. C'est *Jasmina* de Mishido.

1 Faites des phrases.

(paysage) *Regarde ce paysage : il est merveilleux !*

1. *(village)* ______
2. *(maison)* ______
3. *(fleur)* ______
4. *(jardin)* ______
5. *(oiseau)* ______
6. *(arbre)* ______

2 Posez des questions.

(assiette) *Qui a cassé cette assiette, c'est toi ?*

1. *(tasse)* ______
2. *(verre)* ______
3. *(lampe)* ______
4. *(vase)* ______
5. *(stylo)* ______
6. *(appareil photo)* ______

3 Complétez le dialogue.

Je voudrais un melon. *Prenez ce melon. Il est délicieux !*

1. Je voudrais une mangue. ______
2. Je voudrais des raisins. ______
3. Je voudrais un pamplemousse. ______
4. Je voudrais un ananas. ______
5. Je voudrais des poires. ______
6. Je voudrais des oranges. ______

ADJECTIFS DÉMONSTRATIFS

masculin : *ce garçon* féminin : *cette fille* pluriel : *ces enfants*

⚠ ce devient cet devant une voyelle : *cet ami cet homme*

PRONOMS DÉMONSTRATIFS

celui, celle, ceux, celles

Question de goût

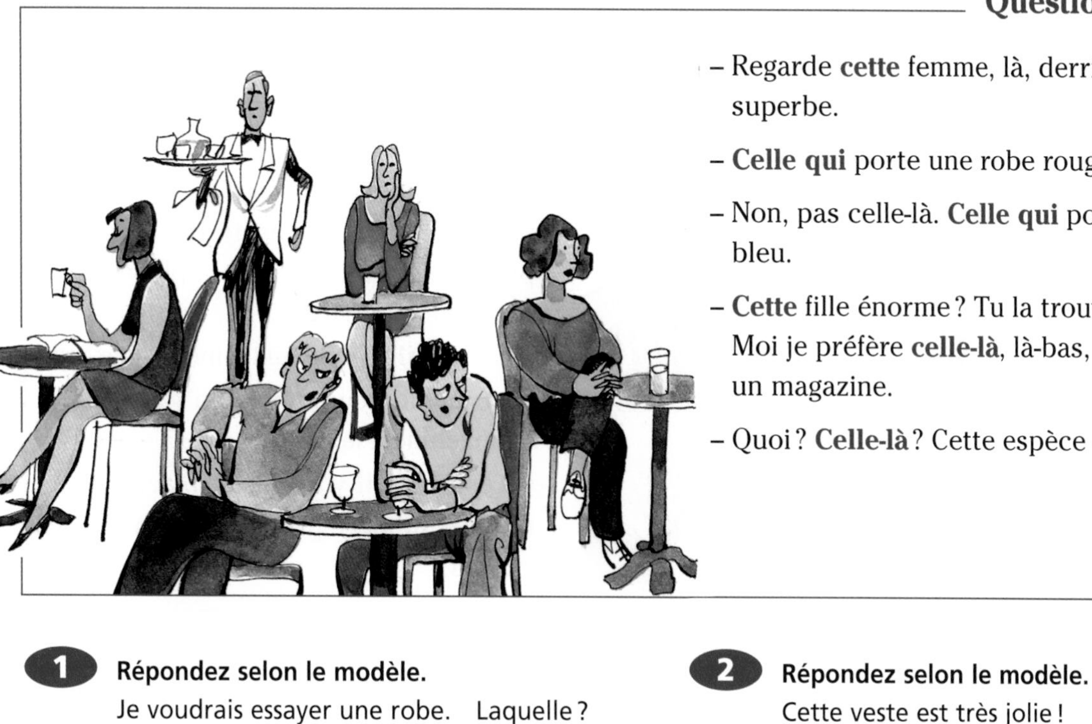

– Regarde **cette** femme, là, derrière, elle est superbe.

– **Celle qui** porte une robe rouge ?

– Non, pas celle-là. **Celle qui** porte un pull bleu.

– **Cette** fille énorme ? Tu la trouves belle ? Moi je préfère **celle-là**, là-bas, **celle qui** lit un magazine.

– Quoi ? **Celle-là** ? Cette espèce de squelette.

1 **Répondez selon le modèle.**

Je voudrais essayer une robe. Laquelle ?
Celle-là : celle qui est en vitrine !

1. Je voudrais essayer une veste.
   Laquelle ? ______________________
2. Je voudrais essayer un pull.
   Lequel ? ______________________
3. Je voudrais essayer des chaussures.
   Lesquelles ? ______________________
4. Je voudrais essayer des gants.
   Lesquels ? ______________________

2 **Répondez selon le modèle.**

Cette veste est très jolie !
Moi, je préfère celle que tu portes.

1. Cette robe est très jolie !
   ____
2. Ce pull est très joli !
   ____
3. Ces gants sont très jolis !
   ____
4. Ces chaussures sont très jolies.
   ____

3 **Répondez selon le modèle.**

Ce chat est à toi ? *Celui-là ? Non, ce n'est pas le mien. C'est celui de ma fille.*

1. Ce parfum est à toi ? ______________________
2. Cette bague est à toi ? ______________________
3. Cet imperméable est à toi ? ______________________
4. Ces boucles d'oreille sont à toi ? ______________________
5. Ces disques sont à toi ? ______________________
6. Ces chaussures sont à toi ? ______________________

PRONOMS DÉMONSTRATIFS

masculin : ***celui-ci / celui-là*** féminin : ***celle-ci / celle-là*** pluriel : ***ceux-ci / ceux-là celles-ci / celles-là***

⚠ ***celui qui*** caractérise une chose. ***celui de*** exprime la possession.

IL Y A

dans, sur, sous

Mon studio

– Alors, voilà mon studio. Tu vois, il est petit mais il est confortable. **Il y a** tout ce qu'il faut !

– Il est meublé ?

– En partie. **Dans** la cuisine, **il y a** une plaque électrique et **sous** la plaque, **il y a** un petit frigo.

– Est-ce qu'**il y a** une machine à laver ?

– Non, malheureusement, **il n'y a pas** de machine à laver.

– Qu'est-ce qu'**il y a dans** ce placard ?

– Eh bien, **dans** ce placard, tu vois, **il y a** mon lit.

1 **Répondez selon le modèle.**

Dis, où sont les verres ? *(table)*

Ils sont sur la table.

1. Dis, où est la casserole ? *(feu)*

____

2. Dis, où est la poubelle ? *(évier)*

____

3. Dis, où sont les couverts ? *(tiroir)*

____

4. Dis, où sont les chaussures ? *(canapé)*

____

2 **Faites des phrases avec « dans » ou « sur ».**

(avenue) *Il y a beaucoup de monde dans l'avenue. Qu'est-ce qui se passe ?*

1. *(rue)* ______________________________
2. *(place)* ______________________________
3. *(métro)* ______________________________
4. *(plage)* ______________________________
5. *(trottoir)* ______________________________
6. *(bus)* ______________________________
7. *(avion)* ______________________________

3 **Répondez avec « il y a » et « il n'y a pas ».**

Dans le quartier, il y a un restaurant ? une pizzeria ?

Il n'y a pas de restaurant, il y a juste une pizzeria.

1. Dans le quartier, il y a un supermarché ? une épicerie ? ______________________________
2. Dans le quartier, il y a une station de métro ? un arrêt de bus ? ______________________________
3. Dans le quartier, il y a une banque ? un distributeur ? ______________________________
4. Dans le quartier, il y a un jardin ? un square ? ______________________________
5. Dans le quartier, il y a une librairie ? une papeterie ? ______________________________

IL Y A + dans, sur, sous

- **il y a** = existence dans un lieu
  *Dans la rue, **il y a** des voitures.*
- **dans** + espace fermé :
  ***dans** le tiroir*
- **sur** + surface :
  ***sur** la table*
- **sous ≠ sur** :
  ***sous** le parapluie*

dans la rue – sur la place – sur le boulevard – dans le métro– dans le bus – dans l'avion

VILLES et PAYS

à, en, au

Globe-trotter

– Cette année nous visitons l'Amérique du Sud : nous visitons **la** Colombie, **la** Bolivie, **l'**Argentine, **le** Brésil, **le** Venezuela, **le** Pérou, **le** Chili et **l'**Équateur.

– Alors si je comprends bien, vous allez **en** Colombie, **au** Venezuela et **au** Brésil, puis vous passez **en** Bolivie, vous descendez **en** Argentine et **au** Chili, vous remontez **au** Pérou et vous terminez **en** Équateur !

1 **Répondez selon le modèle.**

Vous avez habité à Rome ?
À Rome et à Paris.

1. Vous avez habité à Nice ? ______
2. Vous avez habité à Londres ? ______
3. Vous avez habité à Moscou ? ______
4. Vous avez habité à La Havane ? ______
5. Vous avez habité au Caire ? ______

2 **Faites des phrases.**

(Danemark) *Il est danois mais il n'habite pas au Danemark.*

1. *(France)* ______
2. *(Norvège)* ______
3. *(Brésil)* ______
4. *(Italie)* ______
5. *(Portugal)* ______

3 **Répondez selon le modèle.**

Allô ! Tu es où ? *(plage, Mexique)* *Sur une plage, au Mexique.*

1. Allô ! Tu es où ? *(tramway, Belgique)* ______
2. Allô ! Tu es où ? *(bus, Guatemala)* ______
3. Allô ! Tu es où ? *(terrasse, Antilles)* ______
4. Allô ! Tu es où ? *(palmiers, Maroc)* ______
5. Allô ! Tu es où ? *(taxi, Équateur)* ______
6. Allô ! Tu es où ? *(cabine téléphonique, Iran)* ______

VILLES et PAYS

- **à** + ville
  *Je suis **à** Paris.*
  *Je vais **à** Tokyo.*
- **en** + pays féminin (finales en « **e** »)
  *Je suis **en** France.*
  *Je vais **en** Belgique.*
- **au** + pays masculin (autres finales)
  *Je suis **au** Japon.*
  *Je vais **au** Canada.*

⚠ • **au** devient **en** devant une voyelle : ***en** Équateur*
• ***au** Mexique / **au** Cambodge*

VERBE *AVOIR*

conjugaison

Sondage

– Bonjour madame, nous effectuons un sondage : **avez-vous** des enfants ?

– Oui, j'ai un garçon et une fille.

– Quel âge **ont**-ils ?

– Le garçon **a** trois ans et la fille **a** six mois.

– Vous **avez** des animaux domestiques ?

– Eh bien, nous **avons** deux canaris et un poisson rouge.

– Vous n'**avez** pas de chat ?

– Non, **on** n'**a** pas de chat. Mes enfants sont tous les deux allergiques au poil de chat.

1 **Répondez selon le modèle.**

Vous avez une maison ou un appartement ? *J'ai un appartement.*

1. Vous avez un grand ou un petit salon ? ____________________
2. Vous avez une grande ou une petite cuisine ? ____________________
3. Vous avez un grand ou un petit ascenseur ? ____________________
4. Vous avez des voisins calmes ou bruyants ? ____________________
5. Vous avez des meubles anciens ou modernes ? ____________________

2 **Complétez selon le modèle.**

Il est très sympathique. *Il est très sympathique et il a beaucoup d'amis !*

1. Elle est très amusante.
____
2. Ils sont très généreux.
____
3. Tu es très tolérante.
____
4. Vous êtes très riche.
____

3 **Donnez le contraire.**

Il a un chien. *Elle n'a pas de chien.*
Il n'a pas de chat. *Elle a un chat.*

1. Il a une voiture. ____________________
2. Il n'a pas de moto. ____________________
3. Il a un garage. ____________________
4. Il n'a pas de balcon. ____________________
5. Il a un ordinateur. ____________________
6. Il a un magnétoscope. ____________________
7. Il n'a pas de portable. ____________________
8. Il a des poissons rouges. ____________________

VERBE *AVOIR*

J'ai vingt ans.	**Nous avons** faim.
Tu as quinze ans.	**Vous avez** froid.
Il / elle / on a un vélo.	**Ils / elles ont** mal au dos.

VERBE *AVOIR*
avoir froid, avoir faim...

Dans le désert

– Oh là là ! **j'ai chaud**, **j'ai soif** et **j'ai mal** aux pieds !

– Moi, **j'ai mal** au dos. **J'ai besoin** de m'allonger.

– Tiens, on va s'installer là, sous les arbres. Qui **a envie** d'un café ? Il est encore chaud.

– Moi je veux bien, **j'ai sommeil** : ça va me réveiller.

– Attention ! Quelque chose a bougé derrière toi. Ne restons pas là. **J'ai peur** des serpents.

– Mais ce n'est rien : c'est juste un iguane...

1 **Répondez selon le modèle.**

Vous avez chaud ?
Oh oui, j'ai très chaud ! Pas vous ?

1. Vous avez soif ? ______________________________
____
2. Vous avez faim ? ______________________________
____
3. Vous avez mal aux pieds ? ______________________________
____
4. Vous avez peur des serpents ? ______________________________
____

2 **Répondez selon le modèle.**

J'ai besoin d'un café. *Moi aussi, j'ai vraiment besoin d'un café !*

1. J'ai envie d'une glace. ______________________________
____
2. J'ai besoin d'une pause. ______________________________
____
3. J'ai envie d'aller au cinéma. ______________________________
____
4. J'ai besoin de dormir. ______________________________
____

3 **Transformez.**

Il a soif parce qu'il a chaud. *Ils ont soif parce qu'ils ont chaud.*

1. Il a mal au dos parce qu'il est fatigué. ______________________________
2. Il a mal à la tête parce qu'il est enrhumé. ______________________________
3. Il est énervé parce qu'il a sommeil. ______________________________
4. Il est nerveux parce qu'il a un examen. ______________________________
5. Il est pressé parce qu'il a un rendez-vous. ______________________________
6. Il est content parce qu'il a 7 ans aujourd'hui. ______________________________

AVOIR + expressions

- **avoir + âge**
  *J'**ai** vingt ans.*
  *Il **a** cinq ans.*
- **avoir + sensations**
  *J'**ai** chaud / froid.*
  *J'**ai** mal à la tête / au dos / aux pieds.*
- **avoir besoin de / envie de**
  *J'**ai besoin d**'un stylo.*
  *J'**ai envie d**'un café.*

PLACE de L'ADJECTIF

avant ou après le nom

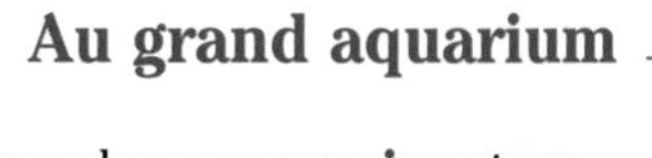

Un **petit** garçon avec des yeux **noirs** et un **vieux** monsieur avec une barbe **blanche** regardent un **gros** poisson avec un ventre **jaune**.

Une dame **brune** photographie le **bel** enfant et le **vieil** homme avec son **nouvel** appareil photo.

1 Faites des phrases selon le modèle.

(carré) *Elle a un visage carré et un petit nez.*

1. *(ovale)* ______________________
2. *(rond)* ______________________
3. *(allongé)* ______________________
4. *(joufflu)* ______________________

2 Faites des phrases selon le modèle.

(petit)
Je cherche une petite table.

1. *(grand)* ______________________
2. *(moderne)* ______________________
3. *(rectangulaire)* ______________________
4. *(vieux)* ______________________
5. *(carré)* ______________________
6. *(beau)* ______________________
7. *(ancien)* ______________________
8. *(joli)* ______________________

3 Répondez selon le modèle.

Regardez cet immeuble, comme il est beau.
Oh oui, quel bel immeuble !

1. Regardez cet homme, comme il est beau.
____
2. Regardez cet oiseau, comme il est beau.
____
3. Regardez cet acteur, comme il est beau.
____
4. Regardez cet enfant, comme il est beau.
____

4 Donnez les contraires.

Jean aime les petites voitures.
Paul aime les grosses voitures.

1. Jean aime les grandes villes.
____
2. Jean aime les petits chiens.
____
3. Jean aime les gros oreillers.
____
4. Jean lit toujours de bons livres.
____

PLACE de L'ADJECTIF

- **Après** le nom : majorité des adjectifs
  *un garçon **blond***
  *un livre **bleu***
- **Avant** le nom : **petit / grand / gros / vieux** **beau / joli / bon / mauvais**
  *un **petit** garçon* — *une **grande** ville* — *un **vieux** monsieur*
  *une **jolie** fille* — *une **grosse** voiture* — *un **bon** livre, un **mauvais** livre*

- **beau, nouveau, vieux** + voyelle = **bel, nouvel, vieil** *un **vieil** acteur – un **nouvel** ordinateur – un **vieil** immeuble*

PLACE de L'ADJECTIF

dernier, premier, tout

Planning

– Tu pars en vacances quand ?

– Les **deux dernières** semaines de juillet. Et toi ?

– Moi, les **deux premières** semaines d'août.

– Tu vas souvent chez tes parents ?

– Les enfants y vont **tous les deux mois.** Nous, on y va **tous** les Noëls.

– Nous aussi, on passe Noël **tous** ensemble.

1 **Répondez selon le modèle.**

Vous avez vu tous les films de Fellini ?

Oui, sauf ses deux derniers films.

1. Vous avez lu tous les romans de Pennac ?

____

2. Vous avez acheté tous les disques de Sting ?

____

3. Vous avez aimé tous les livres d'Irving ?

____

4. Vous avez vu tous les spectacles de Savary ?

____

2 **Répondez selon le modèle.**

Tu vas à la piscine tous les jours ?

Non, tous les deux jours.

1. Tu as des examens toutes les semaines ?

____

2. Tu vas au théâtre tous les mois ?

____

3. Tu as cours de français tous les jours ?

____

4. Tu vas chez le coiffeur tous les mois ?

____

3 **Transformez selon le modèle.**

Il a dépensé son argent.

Il a dépensé tout son argent !

1. Il a perdu ses affaires.

____

2. Il a recopié son agenda.

____

3. Il a vendu ses disques.

____

4. Il a repeint sa chambre.

____

4 **Répondez selon le modèle.**

Tous les étudiants sont arrivés ?

Oui, ils sont tous arrivés.

1. Tous les dossiers sont complets ?

____

2. Toutes les salles sont occupées ?

____

3. Tous les tests sont corrigés ?

____

4. Tous les exercices sont terminés ?

____

DERNIER, PREMIER

- **Premier** et **dernier** se placent après les nombres.
  *les **deux premiers** jours ; les **trois dernières** années*

TOUT

- **Tout** s'accorde avec le nom.
  ***tout** le / **toute** la ; **tous** les / **toutes** les*

VERBES en *-er*

j'aime, je parle…

Un bavard

– Qu'est-ce que vous **écoutez** ?
– …
– Vous **aimez** quel genre de musique ?
– …
– Vous **parlez** français ? anglais ?
– …
– Moi, j'**aime** beaucoup le jazz. J'**écoute** souvent radio Jazz et je **parle**…
– … beaucoup trop !

1 **Répondez selon le modèle.**
Vous parlez anglais ou <u>français</u> ?
Je parle français.

1. Vous parlez vite ou <u>lentement</u> ?
____
2. Vous habitez dans le centre ou <u>en banlieue</u> ?
____
3. Vous étudiez seul ou avec <u>un professeur</u> ?
____
4. Vous dînez avant ou <u>après huit heures</u> ?
____
5. Vous rentrez chez vous tôt ou <u>tard</u> ?
____

2 **Répondez selon le modèle.**
Les Français aiment le fromage ?
Oui, ils aiment le fromage.

1. Les Français mangent beaucoup de pain ?
____
2. Les Français adorent parler ?
____
3. Les Français pratiquent peu de sport ?
____
4. Les Français discutent beaucoup de politique ?
____
5. Les Français critiquent tout ?
____

3 **Faites des phrases avec *écouter, manger* et *regarder*.**
(film) *Nous regardons un film.*

1. *(disque)* _______________
2. *(sandwich)* _______________
3. *(télévision)* _______________
4. *(radio)* _______________
5. *(pomme)* _______________

4 **Répondez selon le modèle.**
Tu danses bien ou <u>mal</u> ?
Je danse mal.

1. Tu chantes juste ou <u>faux</u> ? _______________
2. Tu rêves peu ou <u>beaucoup</u> ? _______________
3. Tu pleures facilement ou <u>rarement</u> ? _______________
4. Tu dessines bien ou <u>mal</u> ? _______________
5. Tu parles fort ou <u>doucement</u> ? _______________

VERBES en *-er*

• **Formation** : sur l'infinitif moins -er :

Parl **-er** :	Je parle	Nous parl**ons**
	Tu parl**es**	Vous parl**ez**
	Il / elle / on parle	Ils / elles parl**ent**

VERBES en *-er*

je jette, j'enlève, j'essuie...

Ménage de printemps

– Allez, allez : **jetons** tous ces vieux journaux.

– Je **jette** aussi les magazines ?

– Oui. Et **enlevons** les rideaux, ils sont tout noirs.

– Attends, j'**enlève** la tringle ça ira plus vite. Oh zut ! j'ai cassé le vase !

– Vite ! il faut **balayer** les morceaux et **essuyer** le parquet.

– Ne bouge pas, je **balaie** et j'**essuie** tout ça.

1 **Conjuguez selon le modèle.**

(acheter) *j'achète* *vous achetez*

1. *(enlever)* ____________ ____________
2. *(préférer)* ____________ ____________
3. *(espérer)* ____________ ____________
4. *(appeler)* ____________ ____________
5. *(payer)* ____________ ____________
6. *(balayer)* ____________ ____________
7. *(essayer)* ____________ ____________

2 **Posez des questions selon le modèle.**

(acheter) *Qu'est-ce que tu achètes ?*

1. *(jeter)* ____________________
2. *(feuilleter)* ____________________
3. *(peser)* ____________________
4. *(congeler)* ____________________
5. *(nettoyer)* ____________________
6. *(essuyer)* ____________________
7. *(envoyer)* ____________________

3 **Répondez selon le modèle.**

Quand vous achetez un yaourt, vous regardez la date ?
Oui, quand j'achète un yaourt, je regarde la date.

1. Quand vous achetez un pull, vous regardez la marque ? ____________________
2. Quand vous rentrez chez vous, vous enlevez vos chaussures ? ____________________
3. Quand vous rangez votre bureau, vous jetez des papiers ? ____________________
4. Quand vous cherchez une adresse, vous appelez le « 12 » ? ____________________
5. Quand vous réglez des factures, vous payez par chèque ? ____________________
6. Quand vous offrez un cadeau, vous enlevez l'étiquette ? ____________________

VERBES en *-er* (cas particuliers)

- acheter : vous achetez, j'achète + enlever, peser, mener, amener, emmener, espérer, répéter, compléter
- jeter : vous jetez, je jette
- envoyer : vous envoyez, j'envoie + nettoyer, appuyer, essuyer, essayer
- appeler : vous appelez, j'appelle
- payer, balayer : vous payez, je paie / je paye

- **offrir** et **ouvrir** se conjuguent comme des verbes en -er : j'offre, tu offres / j'ouvre, tu ouvres

VERBES PRONOMINAUX RÉFLÉCHIS

je me lave, tu te lèves...

En vacances

– Qu'est-ce qu'on est bien en vacances : on **se lève** tard, on **s'habille** n'importe comment, on **se repose**.
– Ah, moi, je **me lève** quand le soleil **se lève**. Je **me promène** sur la plage et je **me baigne** longtemps.
– Et le soir, tu **te couches** quand le soleil **se couche** ?
– Non, je **me couche** quand ma femme **se couche**...

1 **Répondez selon le modèle.**
Vous vous levez tôt ou tard ?
Je me lève tard.

1. Vous vous douchez le matin ou le soir ?
   ____
2. Vous vous habillez avant ou après le petit déjeuner ? ______________________
3. Vous vous préparez vite ou lentement ?
   ____
4. Vous vous couchez avant ou après minuit ?
   ____

2 **Posez des questions.**
(s'appeler / comment)
Comment vous appelez-vous ?

1. *(se lever / à quelle heure ?)*
   ____
2. *(se promener / où ?)*
   ____
3. *(se coucher / à quelle heure ?)*
   ____
4. *(se dépêcher / pourquoi ?)*
   ____

3 **Répondez selon le modèle.**
Vous vous couchez tard, le samedi ?
Oui, le samedi, nous nous couchons tard.

1. Vous vous levez tôt le lundi ?
   ____
2. Vous vous promenez, le dimanche ?
   ____
3. Vous vous reposez, en vacances ?
   ____
4. Vous vous couchez tôt, le dimanche ?
   ____

4 **Répondez selon le modèle.**
Vous vous réveillez vers 7 h ? *Oui, quand je me réveille, il est environ 7 h.*

1. Vous vous levez vers 7 h 05 ?
   ____
2. Vous vous douchez vers 7 h 30 ?
   ____
3. Vous vous habillez vers 8 h ?
   ____
4. Vous vous couchez vers minuit ?
   ____

VERBES PRONOMINAUX en *-er*

Je **me** lave	Nous **nous** lavons
Tu **te** laves	Vous **vous** lavez
Il / elle / on **se** lave	Ils / elles **se** lavent

VERBES PRONOMINAUX RÉCIPROQUES

ils s'aiment, ils se marient

En vacances (suite)

– Oh là là, ces jumeaux sont insupportables. Ils **se disputent**, ils **se battent**, puis ils **se cherchent**. Quand ils **se retrouvent**, ils **se réconcilient**. Puis de nouveau ils **se disputent** et ça recommence.

– C'est la même chose avec ma fille et son copain, ils **se disputent** tout le temps mais ils ne **se quittent** jamais.

1 Faites des phrases.

(se rencontrer / s'embrasser) (amis) Quand des amis se rencontrent, ils s'embrassent.

1. *(se rencontrer / se serrer la main) (collègues)* ______
2. *(se saluer / se regarder) (voisins)* ______
3. *(se téléphoner / se parler pendant des heures) (adolescents)* ______
4. *(se fâcher / se réconcilier vite) (amoureux)* ______
5. *(se rencontrer / se renifler) (chiens)* ______

2 Faites des phrases.

(se disputer / se quitter) Ils se disputent mais ils ne se quittent jamais !

1. *(se rencontrer / se saluer)*

______

2. *(se regarder / se parler)*

______

3. *(se serrer la main / s'embrasser)*

______

4. *(s'aimer bien / se téléphoner)*

______

3 Répondez selon le modèle.

Vous vous intéressez au rugby ?
Ah non, je ne m'intéresse pas au rugby !

1. Vous vous parfumez tous les jours ?

______

2. Votre fille se maquille beaucoup ?

______

3. Votre directeur s'énerve souvent ?

______

4. Vous vous ennuyez le dimanche ?

______

VERBES PRONOMINAUX (suite)

• **Pronominaux réciproques** :

	Nous nous *aimons*	***Vous vous*** *embrassez*	***Ils se*** *disputent* (les uns / les autres)
Négation :	*Je **ne** me lève **pas***	*Tu **ne** te laves **pas***	*Nous **ne** nous connaissons **pas**.*

QUANTITÉ INDÉTERMINÉE

du, de la, des

Au restaurant

– Qu'est-ce que tu prends ?
– Le plat du jour : c'est **du** poisson avec **des** haricots verts.
– Pouah, il y a **de la** crème dans le poisson et **du** beurre dans les haricots verts !
– Prends **du** poulet...
– Non, je vais prendre directement un dessert. Ça a l'air bien ça « Le Divin Marquis » ! Qu'est-ce que c'est ?
– C'est **de la** glace à la vanille sur **du** chocolat blanc avec **de la** noix de coco.

1 **Répondez selon le modèle.**

Pourquoi allez-vous à la station-service ?
Pour acheter de l'essence

1. Pourquoi allez-vous chez le boulanger ?

____

2. Pourquoi allez-vous chez le boucher ?

____

3. Pourquoi allez-vous chez le poissonnier ?

____

4. Pourquoi allez-vous à la pharmacie ?

____

2 **Répondez avec *boire, manger, faire*.**

Le lait est bon pour la santé.
Oui, buvez du lait !

1. L'eau est bonne pour la santé.

____

2. Le pain est bon pour la santé.

____

3. Le sport est bon pour la santé.

____

4. Les fruits sont bons pour la santé.

____

3 **Répondez selon le modèle.**

Vous vous lavez les cheveux avec quoi ? *(shampoing)*
Je me lave les cheveux avec du shampoing.

1. Vous vous lavez les mains avec quoi ? *(savon)* ______________________
2. Vous vous lavez les dents avec quoi ? *(dentifrice)* ______________________
3. Vous vous lavez le visage avec quoi ? *(crème)* ______________________
4. Vous vous lavez les cheveux avec quoi ? *(shampoing)* ______________________

ARTICLE PARTITIF

- **L'article défini** = ensemble, totalité
  *J'aime **le** poisson.*
  ***la** viande.*
  ***les** légumes.*

- **L'article partitif** = quantité indéterminée
  *Je mange **du** poisson.*
  ***de la** viande.*
  ***des** légumes.*

QUANTITÉ INDÉTERMINÉE

du soleil, de la musique

De la neige et du blues

– Il y a encore **de la** neige sur les toits, c'est joli.

– Mais il y a **du** soleil : ça ne va pas durer.

– Qu'est-ce que tu joues ? **du** Chopin ? **du** Bach ?

– Non, c'est **du** jazz. Ça s'appelle « Dirty Snow ». C'est exactement ce que je ressens quand la neige fond : **de la** nostalgie, **de** l'émotion, **du** blues.

1 **Répondez selon le modèle.**

Quel temps fait-il dans le Sud ? *(soleil)*
Dans le Sud, il y a du soleil.

1. Quel temps fait-il dans le Nord ? *(vent)*
____
2. Quel temps fait-il dans l'Est ? *(brouillard)*
____
3. Quel temps fait-il dans l'Ouest ? *(orages)*
____
4. Quel temps fait-il dans le Sud ? *(soleil)*
____

2 **Faites des phrases.**

(houblon / bière) *C'est avec du houblon qu'on produit de la bière.*

1. *(sable / verre)* ______________________________
2. *(pétrole / polyester)* ______________________________
3. *(uranium / énergie nucléaire)* ______________________________
4. *(malt / whisky)* ______________________________

3 **Faites des phrases.**

(politique / ambition) *Pour faire de la politique il faut de l'ambition.*

1. *(sport / énergie)* ______________________________
2. *(affaires / argent)* ______________________________
3. *(peinture / imagination)* ______________________________
4. *(feu / papier)* ______________________________

4 **Répondez selon le modèle.**

Cette fille est jolie. *(charme)*
Oui, elle a du charme.

1. Cet homme est riche. *(argent)*
____
2. Ce bébé est fiévreux. *(fièvre)*
____
3. Ce musicien est doué. *(talent)*
____
4. Ce garçon est dynamique. *(énergie)*
____

ARTICLE PARTITIF

- On utilise un article partitif devant toutes les quantités non comptables.
  *Le bébé a **de la** fièvre.*
  *Tu écoutes **du** jazz ou **de la** musique classique ?*
  *Pour faire **du** vert il faut **du** bleu et **du** jaune.*

QUANTITÉ DÉTERMINÉE

un peu de..., beaucoup de..., pas de...

Chez le boucher

– Bonjour monsieur, je voudrais **de la** viande hachée.
– Combien ?
– Deux cents grammes. Et aussi **du** jambon. Trois tranches.
– Bon, alors deux cents grammes **de** viande, trois tranches **de** jambon. Et avec ça ?
– Un poulet rôti.
– Avec **du** jus ? **des** pommes de terre ?
– Un peu **de** jus, mais **pas de** pommes de terre, merci.

1 **Répondez selon le modèle.**

Vous avez des amis ? *(beaucoup)*
Oui, j'ai beaucoup d'amis.

1. Vous avez du travail ? *(beaucoup)*
______
2. Vous avez de l'argent de côté ? *(un peu)*
______
3. Vous avez fait des progrès en français ? *(un peu)*
______
4. Votre professeur a de la patience ? *(beaucoup)*
______

2 **Répondez selon le modèle.**

Je voudrais de la viande hachée. Combien ? 200 g ? *Oui, 200 g de viande hachée.*

1. Je voudrais de la farine. Combien ? un kilo ?
______
2. Je voudrais du lait. Combien ? un litre ?
______
3. Je voudrais de l'essence. Combien ? dix litres ?
______
4. Je voudrais du beurre. Combien ? 250 g ?
______

3 **Faites des dialogues.**

(café) *Achète du café.*
(paquet) *Un paquet de café, ça suffira ?*

1. *(eau)* ______
(bouteille) ______
2. *(petits pois)* ______
(boîte) ______
3. *(lait)* ______
(litre) ______
4. *(fraises)* ______
(barquette) ______

4 **Répondez selon le modèle.**

Il y a encore du lait dans le frigo ?
Non, il n'y a plus de lait.

1. Il y a encore du vin dans la cave ?
______
2. Il y a encore des frites dans le congélateur ?
______
3. Il y a encore de l'essence dans le réservoir ?
______
4. Il y a encore des fraises au marché ?
______

QUANTITÉ

- **L'article partitif** = quantité indéterminée
*Je mange **du** poisson.*
*Je mange **de la** viande.*
*Je mange **des** légumes.*

- **De** = quantité exprimée ou nulle
*Je mange cent grammes **de** poisson.*
*Je mange un peu **de** viande.*
*Je ne mange pas **de** légumes.*

EN de QUANTITÉ
j'en mange, il en achète

À la boulangerie

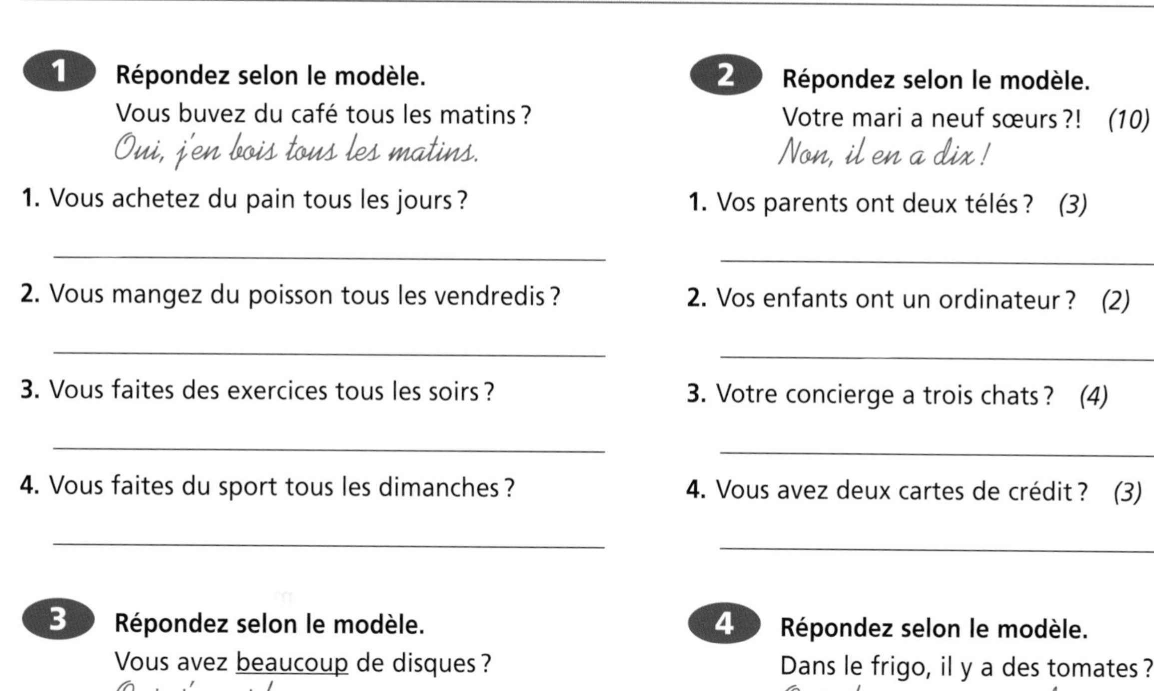

– Bonjour, madame. Il vous reste des croissants ?
– Combien **en** voulez-vous ? Il **en** reste deux.
– J'**en** voulais six... Bon, ça ne fait rien : mettez-moi quatre brioches.
– Désolée, je n'**en** ai que trois.
– Bon, alors donnez-moi du pain. Il vous **en** reste au moins ?
– Ah non, il n'y **en** a plus.

1 **Répondez selon le modèle.**
Vous buvez du café tous les matins ?
Oui, j'en bois tous les matins.

1. Vous achetez du pain tous les jours ?
____
2. Vous mangez du poisson tous les vendredis ?
____
3. Vous faites des exercices tous les soirs ?
____
4. Vous faites du sport tous les dimanches ?
____

2 **Répondez selon le modèle.**
Votre mari a neuf sœurs ?! *(10)*
Non, il en a dix !

1. Vos parents ont deux télés ? *(3)*
____
2. Vos enfants ont un ordinateur ? *(2)*
____
3. Votre concierge a trois chats ? *(4)*
____
4. Vous avez deux cartes de crédit ? *(3)*
____

3 **Répondez selon le modèle.**
Vous avez <u>beaucoup</u> de disques ?
Oui, j'en ai beaucoup.

1. Vous recevez <u>plusieurs</u> lettres par jour ?
____
2. Vous faites <u>un peu</u> de sport ?
____
3. Vous buvez <u>beaucoup</u> d'eau ?
____
4. Vous avez <u>assez</u> d'exercices ?
____

4 **Répondez selon le modèle.**
Dans le frigo, il y a des tomates ? *(deux)*
Oui, il y en a encore deux.

1. Il y a de l'eau ? *(une bouteille)*
____
2. Il y a des yaourts ? *(quelques-uns)*
____
3. Il y a du beurre ? *(un peu)*
____
4. Il y a du lait ? *(un demi-litre)*
____

EN

- **En** quantité indéfinie (partitif) — *Tu bois du café ? – Oui, j'**en** bois.*
- **En** quantité précisée — *Tu mets combien de sucres ? – J'**en** mets **un / plusieurs**.*

COMPARATIFS

plus... que, aussi... que, moins... que

Au marché

– Le sac noir coûte 200 euros et le gris 100 euros, pourquoi ?

– Le gris coûte **moins** cher parce qu'il est en solde. C'est l'ancienne collection.

– Mmm. Le noir est **plus** chic. Et il a **plus de** poches.

– Le gris est **aussi** chic et regardez, il a **autant de** poches : il y en a une devant et trois à l'intérieur.

– Ah oui. C'est vrai. Bon, je prends le gris.

1 **Comparez selon le modèle.**

Paris est grand. *(Tokyo)*
Tokyo est encore plus grand.

1. En décembre, il fait froid. *(en janvier)*
____
2. Miss France est belle. *(Miss Univers)*
____
3. La Russie, c'est grand. *(le Canada)*
____
4. Le français, c'est difficile. *(le grec)*
____

2 **Répondez selon le modèle.**

Paul et Max ont la même taille ? *(grand)*
Non, Max est nettement moins grand.

1. Paul et Max ont le même âge ? *(vieux)*
____
2. Paul et Max ont le même poids ? *(gros)*
____
3. Paul et Max ont le même QI ? *(intelligent)*
____
4. Paul et Max ont le même revenu ? *(riche)*
____

3 **Transformez en utilisant *aussi* ou *autant*.**

Conduire vite *Ne conduis pas aussi vite.*

Prendre des risques *Ne prends pas autant de risques.*

1. Travailler tard ______________________________
2. Parler fort ______________________________
3. Acheter des bonbons ______________________________
4. Dépenser de l'argent ______________________________
5. Boire du café ______________________________
6. Faire du bruit ______________________________
7. Écrire mal ______________________________
8. Manger vite ______________________________

COMPARATIFS

• Pour comparer des qualités

Jean est **plus** / **aussi** / **moins** *riche* **que** *Max.*

• Pour comparer des quantités

Jean a **plus de** / **autant de** / **moins de** *travail* **que** *Max.*

COMPARATIFS

mieux / meilleur

Gourmandes

– Mmm, c'est **bon** ça. Qu'est-ce que c'est ?
– Une tarte Tatin. Ajoute un peu de crème, c'est **meilleur**.
– Dis donc, on mange **bien** ici… Et en plus c'est joli.
– Mon guide dit que « c'est **le meilleur** salon de thé d'Europe du Nord ».
– Carrément ! Qu'est-ce que c'est ce guide ? Fais voir. *Le Gourmand international.* C'est **bien** ?
– Très **bien** même. C'est **mieux** que les guides classiques. C'est plus simple, plus complet et moins cher.

1 **Répondez selon les modèles.**

Comment trouves-tu le gâteau ? *C'est bon ! Très bon même !*
Comment trouves-tu la décoration ? *C'est bien ! Très bien même !*

1. Comment trouves-tu le café ? ______
2. Comment trouves-tu l'éclairage ? ______
3. Comment trouves-tu le cocktail de fruits ? ______
4. Comment trouves-tu mes nouvelles lunettes ? ______
5. Comment trouves-tu ma nouvelle coiffure ? ______

2 **Répondez en utilisant *meilleur*.**

Le vin blanc, c'est bon. Mais pas autant que le champagne ! *Oui, le champagne, c'est bien meilleur.*

1. Les oranges, c'est bon. Mais pas autant que les mandarines ! ______
2. Le riz nature, c'est bon. Mais pas autant que le riz au curry. ______
3. Le lait en poudre, c'est bon. Mais pas autant que le lait frais. ______

3 **Répondez en utilisant *mieux*.**

Partir 15 jours, c'est bien. *(un mois)*
Oui, mais partir un mois, c'est beaucoup mieux.

1. Dormir 6 heures, c'est bien. *(8 heures)* ______
2. Faire de la gym le samedi, c'est bien. *(tous les jours)* ______
3. Travailler seul, c'est bien. *(avec un professeur)* ______

MIEUX / MEILLEUR

- **meilleur** : comparatif de ***bon***
  *Le vin blanc, c'est **bon**.*
  *Le champagne, c'est **meilleur**.*
- **mieux** : comparatif de supériorité de ***bien***
  *Parler deux langues, c'est **bien**.*
  *Parler trois langues, c'est **mieux**.*

⚠

- **C'est bon**, le chocolat, le soleil… goût et sensations physiques
- **C'est bien**, le cinéma, le français… tout le reste

Y de LIEU

j'y suis, j'y reste

À Rio

– Vous habitez **à** Rio depuis combien de temps ?
– Nous **y** habitons depuis six mois déjà.
– Les enfants vont **à la** plage tous les jours ?
– Ils **y** vont l'après-midi, après l'école. Nous, on **y** va vers 5 heures et on **y** reste jusqu'au soir.
– Vous passez beaucoup de temps sur la plage ?
– Bien sûr, on **y** mange, on **y** travaille, on **y** joue au foot et parfois on **y** dort.

1 **Répondez selon le modèle.**

Vous allez en Espagne quand ? *(juillet)*
J'y vais en juillet.

1. Vous allez au bureau comment ? *(voiture)*
______
2. Vous restez au bureau jusqu'à quelle heure ? *(20 h)* ______
3. Vous allez au cinéma avec qui ? *(un ami)*
______
4. Vous habitez à Rio depuis combien de temps ? *(1 an)* ______

2 **Répondez selon le modèle.**

Qu'est-ce qu'on fait dans un bureau ?
On y travaille.

1. Qu'est-ce qu'on fait dans un restaurant ?
______
2. Qu'est-ce qu'on fait dans une discothèque ?
______
3. Qu'est-ce qu'on fait dans une piscine ?
______
4. Qu'est-ce qu'on fait dans une chambre ?
______

3 **Répondez selon le modèle.**

Nous allons à la piscine le mardi. Et vous ?
Nous *y allons aussi le mardi.*

1. Nous allons au théâtre jeudi prochain. Et vous ?
Nous ______
2. Mon frère va en Grèce en juin. Et vos amis ?
Ils ______
3. Mes amis vont à Rome en train. Et votre sœur ?
Elle ______
4. Nous allons chez Max vers huit heures. Et vous ?
On ______

4 **Répondez selon le modèle.**

Vous habitez ici depuis longtemps ? *(un an)*
J'y habite depuis un an.

1. Vous restez chez vous jusqu'à quelle heure ? *(midi)* ______
2. Vous allez au bureau comment ? *(bus)*
______
3. Vous travaillez à la bibliothèque quel jour ? *(jeudi)* ______
4. Vous allez à la campagne quand ? *(week-end)*
______

PRONOM *Y*

- y remplace un lieu.

– Je vais à la gare.	*– J'y vais en taxi.*
– Nous sommes chez nous.	*– Nous **y** serons jusqu'à six heures.*

Y et *EN*

j'y pense souvent, j'en parle peu

Horoscope

– Tu veux voir ton horoscope ? Bélier « *Pensez à votre santé.* » Alors, tu **y** penses, de temps en temps ?
– Non, franchement, quand je ne suis pas malade, je n'**y** pense pas du tout.
– « *Parlez de vos soucis.* » Tu veux **en** parler ?
– Ben, mon seul souci, c'est l'amour. Le mariage, je crois que ce n'est pas pour demain.
– Oh, tu sais, le mariage, c'est comme le périphérique : tous ceux qui sont dehors veulent **y** entrer et tous ceux qui sont dedans veulent **en** sortir !

1 **Répondez selon le modèle.**
Je ne crois pas à l'astrologie. Et vous ?
Moi, par contre, j'y crois.

1. Je ne pense jamais à l'avenir. Et vous ?
____
2. Je ne m'intéresse pas à la politique. Et vous ?
____
3. Je ne participe pas aux manifestations. Et vous ?
____
4. Je ne crois pas au progrès. Et vous ?
____

2 **Répondez selon le modèle.**
Vous parlez souvent de votre travail ?
Oui, j'en parle souvent.

1. Vous êtes content de votre nouvel ordinateur ?
____
2. Vous avez besoin de la photocopie ?
____
3. Vous avez peur du chômage ?
____
4. Vous vous souvenez de votre premier baiser ?
____

3 **Répondez selon le modèle.**
Il revient du bureau ?
Oui, il en revient à l'instant.

1. Il arrive de Colombie ? ______________________________
____
2. Il sort du taxi ? ______________________________
3. Il part de l'hôtel ? ______________________________
4. Il revient de vacances ? ______________________________
____

4 **Transformez avec *en* ou *y*.**
Ne revenez pas ici !
Je n'y reviendrai pas !
Ne bougez pas d'ici !
Je n'en bougerai pas !

1. Ne restez pas ici ! ______________________________
2. Ne sortez pas d'ici ! ______________________________
3. Ne partez pas d'ici ! ______________________________
4. N'entrez pas ici ! ______________________________

EN et *Y*

- **y** remplace un nom précédé de « **à** ».
  – *Je pense **à** mon travail. – J'**y** pense souvent.*
- **en** remplace un nom précédé de « à ».
  – *Je parle **de** mon travail. – J'**en** parle souvent.*
- **y / en** remplacent des lieux.
  – *Je vais **à la** piscine. – J'**y** vais à 10 heures.*
  – *Je reviens **de** la piscine. – J'**en** reviens à l'instant.*

VERBES en *-ir*, *-re*, *-oir*

je grandis, je pars, je dors

Automne

– Vous **partez** à la campagne, madame Dulac ?

– Oui, je **pars** demain. C'est l'époque des champignons.

– Et oui : c'est l'automne ! Les feuilles **jaunissent**, les jours **raccourcissent** et moi je **vieillis**.

– Nous **vieillissons** même au printemps, non ?

– Non, non, moi au printemps je **rajeunis**.

1 **Répondez selon le modèle.**
Vous rougissez facilement ?
Oui, je rougis facilement.

1. Vous grossissez en hiver ?
____
2. Vous maigrissez en été ?
____
3. Vous applaudissez à la fin d'un spectacle ?
____
4. Vous ralentissez au feu orange ?
____

2 **Répondez selon le modèle.**
Les journées sont de plus en plus courtes !
C'est vrai, elles raccourcissent.

1. Les feuilles sont de plus en plus jaunes !
____
2. Vos enfants sont de plus en plus grands !
____
3. Mes cheveux sont de plus en plus blancs !
____
4. Tes frères sont de plus en plus gros !
____

3 **Répondez selon le modèle.**
Vous vivez seul ?
Non, je vis avec mon chien.

1. Vous sortez avec des amis le samedi ?
____
2. Vous partez en vacances en famille ?
____
3. Vous suivez des cours de yoga seul ?
____
4. Vous dormez seul ?
____

4 **Répondez selon le modèle.**
Vous aussi, vous descendez au sous-sol ?
Oui, je descends au sous-sol moi aussi.

1. Vous aussi, vous vendez votre appartement ?
____
2. Vous aussi, vous entendez le bruit de la rue ?
____
3. Vous aussi, vous mettez des petites annonces ?
____
4. Vous aussi, vous attendez beaucoup de visites ?
____

VERBES en *-ir*, *-re*, *-oir*

- Le radical est différent au singulier et au pluriel : (2 formes)

maigrir	Je **maigris**	Vous **maigrissez**	+ blanchir, jaunir, ralentir, etc.
partir	Je **pars**	Vous **partez**	+ dormir, sortir, suivre, vivre

VERBES en *-ir*, *-re*, *-oir*

j'écris, je veux, je mets...

Telles mères, telles filles

– Ma fille **lit** des romans, mais mes deux garçons ne **lisent** que des bandes dessinées.

– C'est classique. Ma fille **met** trois jours pour lire un livre, les garçons **mettent** un mois…

– En plus, les filles **écrivent** mieux. Elles **font** moins de fautes. Elles **vont** plus vite. Elles **ont** plus de méthode.

– Elles **sont** comme leurs mères, tout simplement.

1 Mettez au pluriel.

Quand elle lit, elle met des lunettes. *Quand elles lisent, elles mettent des lunettes.*

1. Quand elle attend le métro, elle lit les affiches. ____________________
2. Quand elle conduit, elle met la ceinture. ____________________
3. Quand elle écrit, elle relit son texte. ____________________
4. Quand elle sort, elle éteint la lumière. ____________________

2 Donnez les contraires.

Ils commencent.
Ils finissent.

1. Ils gagnent. ____________________
2. Ils arrivent. ____________________
3. Ils montent. ____________________
4. Ils achètent. ____________________
5. Ils allument. ____________________
6. Ils accélèrent. ____________________
7. Ils maigrissent. ____________________
8. Ils détruisent. ____________________

3 Mettez au pluriel.

Je ne sais pas où elle est.
Je ne sais pas où elles sont.

1. Je ne sais pas ce qu'elle fait.
____
2. Je ne sais pas où elle va.
____
3. Je ne sais pas ce qu'elle a.
____
4. Je ne sais pas si elle est là.
____

VERBES en *-ir*, *-re*, *-oir*

⚠

- Verbes **-tre** et **-dre** : finale muette au singulier. mettre Je **met**s Vous **mett**ez / attendre J'**attend**s Vous **attend**ez + entendre, répondre, perdre
- Verbes en **-eindre** J'éteins Vous ét**eign**ez Je peins Vous pei**gn**ez
- Attention au pluriel des verbes irréguliers. être ils / elles **sont** faire ils / elles **font** / avoir ils / elles **ont** aller ils / elles **vont**

VERBES en *-ir*, *-re*, *-oir*

je comprends, vous comprenez, ils comprennent

À la gare

– Qu'est-ce que vous **prenez** ?
– On **prend** un café, les enfants **prennent** un coca.
– Maman, maman : on **peut** avoir des chips ?
– Non, non : après, vous ne mangerez plus rien.
– Oh ! écoute, ils **peuvent** bien grignoter quelque chose, non ? Il n'est que six heures.
– Comme tu **veux**. Mais c'est toujours la même chose : tu fais tout ce qu'ils **veulent** !

1 Mettez au pluriel.

Il prend le métro. *Ils prennent le métro.*

1. Il vient en voiture. ______
2. Il se souvient de vous. ______
3. Il prend un bain. ______
4. Il apprend le français. ______
5. Il comprend le russe. ______
6. Il boit un café. ______
7. Il reçoit un message. ______
8. Il veut une bière. ______
9. Il prend le train. ______
10. Il revient de Londres. ______

2 Faites des phrases selon le modèle.

(prendre le métro) *Je ne prends pas le métro, mais mes enfants le prennent.*

1. *(comprendre le français)* ______
2. *(vouloir des chips)* ______
3. *(boire du coca)* ______
4. *(recevoir des SMS)* ______

3 Mettez au pluriel.

Elle n'entend pas ce qu'il dit.
Elles n'entendent pas ce qu'ils disent.

1. Elle ne comprend pas ce qu'il écrit. ______
2. Elle ne sait pas ce qu'elle veut. ______
3. Elle ne répond pas à ce qu'il dit. ______
4. Elle ne fait pas tout ce qu'il veut. ______

VERBES à TROIS RADICAUX

• Le radical est différent au singulier et au pluriel : (3 formes)

boire	Je **bois**	Vous **buvez**	Ils **boivent**	recevoir	Je **reçois**	Vous **recevez**	Ils **reçoivent**
vouloir	Je **veux**	Vous **voulez**	Ils **veulent**	prendre	Je **prends**	Vous **prenez**	Ils **prennent**
venir	Je **viens**	Vous **venez**	Ils **viennent**	+ apprendre, comprendre			

PERMISSION et OBLIGATION

devoir et pouvoir

Interdit de stationner

– Monsieur, monsieur, vous ne **pouvez** pas vous garer ici. Regardez : Interdiction de stationner » !
– C'est permis pour les livraisons. Je **peux** rester ici un moment.
– Bon, mais vous **devez** garer votre camion correctement : vous ne **pouvez** pas monter comme ça sur le trottoir. On ne **peut** plus passer !
– Écoutez, c'est seulement pour dix minutes, ce n'est pas grave.

1 **Répondez selon les modèles.**

Vivre sans manger, c'est possible ? (non) *Non, on ne peut pas vivre sans manger.*
Voyager en train sans billet, c'est permis ? (non) *Non, on ne peut pas voyager sans billet.*

1. Soulever trois cents kilos, c'est possible ? (non) ____________________
2. Soulever vingt kilos, c'est possible ? (oui) ____________________
3. Voter sans papiers d'identité, c'est permis ? (non) ____________________
4. Voter par correspondance, c'est permis ? (oui) ____________________
5. Traverser la Manche en train, c'est possible ? (oui) ____________________
6. Traverser l'Atlantique en train, c'est possible ? (non) ____________________

2 **Transformez selon les modèles.**

Défense de fumer *On ne doit pas fumer.*
Ralentir en ville *On doit ralentir en ville.*

1. Entrée interdite
____
2. Sonner avant d'entrer
____
3. Port du casque obligatoire
____
4. Interdiction de tourner à droite
____

3 **Répondez selon le modèle.**

Tu viens au cinéma avec moi ? *Non, je ne peux pas, je dois aller chez le dentiste.*

1. Ton frère vient dîner chez nous ?
____
2. Vos amis nous rejoignent à la plage ?
____
3. Paul et toi, venez boire un café !
____
4. Dis à tes filles de venir à la maison...
____

POUVOIR et DEVOIR

Je **peux** Tu **peux** Il / elle / on **peut**	Nous **pouvons** Vous **pouvez**
Ils / elles **peuvent**	

Je **dois** Tu **dois** Il / elle / on **doit**	Nous **devons** Vous **devez**
Ils / elles **doivent**	

PRONOMS COMPLÉMENTS DIRECTS

je le lave, je la lave, je les lave

Jour de lessive

– Voilà, le linge sale est ici.

– Je **le** lave à la main ou à la machine ?

– Ça dépend : le pull en laine, vous **le** lavez à la main et vous **l'**étendez à plat, la veste en coton, vous **la** lavez en machine à 30 degrés et les draps vous **les** lavez à 60 degrés.

– Et cette chemise qui est sur un cintre, je **la** repasse ?

– Oui, vous **la** repassez, vous **la** pliez et vous **la** rangez dans le placard, merci.

1 **Répondez en utilisant *le, la, les*.**

Où rangez-vous les vêtements ? *(armoire)*
Je les range dans l'armoire.

1. Où rangez-vous l'aspirateur ? *(placard)*
____
2. Où garez-vous la voiture ? *(garage)*
____
3. Où mettez-vous le linge sale ? *(panier)*
____
4. Où jetez-vous les journaux ? *(poubelle jaune)*
____

2 **Répondez en utilisant *le, la, les*.**

Vous prenez toujours le métro à la même heure ? *Oui, je le prends toujours à la même heure.*

1. Vous connaissez le trajet par cœur ?
____
2. Vous achetez votre carte de transport à l'avance ?
____
3. Vous compostez toujours votre ticket ?
____
4. Vous portez toujours vos papiers sur vous ?
____

3 **Répondez selon le modèle.**

Vous lavez toujours votre linge à 30° ? *Oui, je le lave toujours à 30°.*

1. Vous cirez vos chaussures de temps en temps ? _______________
2. Vous faites votre lit le matin ? _______________
3. Vous éteignez la lumière en sortant ? _______________
4. Vous enlevez vos chaussures en rentrant ? _______________
5. Vous invitez vos amis le samedi ? _______________

LE, LA, LES

• Les pronoms compléments directs remplacent des noms de choses ou de personnes.
Ils répondent à la question ***qui ?*** ou ***quoi ?***

		qui ?* ou *quoi ?		
masc. sing.	*Je*	***le***	*lave.*	(le / ce / mon pull)
fém. sing.	*Je*	***la***	*lave.*	(la / cette / ma robe)
pluriel	*Je*	***les***	*lave.*	(les / ces / mes vêtements)

LES ou *EN*

je les aime et j'en mange

Raviolis

– Où est-ce que tu achètes tes raviolis ? Ils sont délicieux.
– Je **les** fais moi-même et je **les** congèle. J'**en** fais deux ou trois kilos d'avance et j'**en** prends un peu à chaque fois.
– Tu **les** fais cuire surgelés ?
– Oui, et je **les** retire quand ils remontent à la surface.
– Il **en** faut combien par personne ?
– Si c'est un plat, il **en** faut au moins cent grammes. Si c'est une entrée, on **en** met quelques-uns.

1 **Répondez en utilisant *le*, *les* ou *en*.**

Vous achetez les fruits au marché ? *Oui, je les achète au marché.*
Vous mangez des fruits tous les jours ? *Oui, j'en mange tous les jours.*

1. Vous mangez les légumes cuits ? ______
2. Vous mangez des légumes le soir ? ______
3. Vous buvez du café le matin ? ______
4. Vous gardez le café dans une boîte ? ______

2 **Répondez selon les modèles.**

Vous lisez les journaux le matin ?
Oui, je les lis le matin.
Vous lisez plusieurs journaux ?
Oui, j'en lis plusieurs.

1. Vous portez votre montre au bras gauche ?
______
2. Vous avez plusieurs montres ?
______
3. Vous lisez vos mails le soir ?
______
4. Vous supprimez beaucoup de messages ?
______

3 **Répondez selon le modèle.**

Vous avez des bandes dessinées.
Oui, j'en ai quelques-unes.

1. Vous connaissez des chansons d'Aznavour ?
______
2. Vous avez des disques de jazz ?
______
3. Vous faites des exercices le soir ?
______
4. Vous envoyez quelques cartes à vos amis ?
______
5. Vous connaissez des tableaux de Picasso ?
______

LE, LA, LES ou *EN*

- On utilise **le**, **la**, **les** ou **en** selon la construction du verbe.
  – Tu aimes les fruits ? *– Je* **les** *adore et j'***en** *mange tous les jours.*
  (adorer **le / la / les**) (manger **du / de la / des**)

⚠
- *– Vous lisez plusieurs journaux ?* *– Oui, j'***en** *lis plusieurs.*
  – Vous invitez quelques amis ? *– Oui, j'***en** *invite quelques-uns.*

PRONOMS COMPLÉMENTS INDIRECTS

je lui téléphone, tu leur écris

Pique-nique

– Tu téléphones à qui ?

– À Juliette. Je **lui** dis de venir nous rejoindre ici pour pique-niquer. Je **lui** laisse un message pour **lui** expliquer où on est.

– D'accord, mais les enfants ont faim. Je **leur** donne à manger ?

– Oui, on **leur** donne un sandwich et nous, on attend Juliette.

1 **Répondez avec *lui* ou *leur*.**

Vous téléphonez souvent à votre mère ? *Oui, je lui téléphone souvent.*

1. Vous parlez à votre professeur en français ?
2. Vous écrivez régulièrement à vos amis ?
3. Vous répondez rapidement à vos clients ?
4. Vous dictez des lettres à votre secrétaire ?
5. Vous racontez des histoires à vos enfants ?
6. Vous dites « bonjour » à votre voisine ?
7. Vous donnez des vitamines à votre chien ?
8. Vous prêtez votre vélo à votre fille ?

2 **Répondez avec *lui* ou *leur*.**

Ce garçon ressemble à sa mère.
Oui, c'est fou comme il lui ressemble !

1. Ce chapeau va bien à votre fille.
2. Ce jouet plaît beaucoup à votre petit garçon.
3. Ces enfants ressemblent à leurs parents.
4. Ces lunettes vont bien à votre professeur.

3 **Répondez selon le modèle.**

Dis à tes amis de venir !
Mais, je leur ai déjà dit.

1. Explique à tes parents où on est !
2. Demande à ton frère d'apporter du vin !
3. Dis à ta sœur de nous rejoindre !
4. Montre aux enfants comment ça marche !

LUI, LEUR

• Les pronoms compléments **indirects** remplacent des noms de personnes précédés de « **à** ».
Ils répondent à la question « ***à qui ?*** ».

		à qui ?		
masc. sing.	*Je*	***lui***	*téléphone.*	(à mon père)
fém. sing.	*Je*	***lui***	*écris.*	(à ma mère)
pluriel	*Je*	***leur***	*parle.*	(à mes parents)

LE ou *LUI*

je l'appelle et je lui parle

Le maire

– Qui est cet homme ? Tout le monde **l'**appelle. Tout le monde **lui** parle. Tu **le** connais ?
– Bien sûr : c'est le nouveau maire du quartier ! On **le** rencontre souvent au marché.
– C'est incroyable. Les gens **lui** posent des questions, il **les** écoute et il **leur** répond toujours en souriant.
– Oui, et regarde : il prend les enfants dans ses bras, il **les** embrasse et toutes les femmes **lui** sourient.
– Hum, j'ai quand même l'impression qu'il y en a qui **le** détestent.

1 **Répondez selon le modèle.**

Vous parlez au concierge quand vous le voyez ? *Oui, je lui parle quand je le vois.*

1. Vous dites « bonjour » à votre voisin quand vous le rencontrez ? ______
2. Vous dites « au revoir » aux étudiants quand vous les quittez ? ______
3. Vous offrez à boire à vos amis quand vous les invitez ? ______
4. Vous répondez toujours à vos enfants, quand ils vous parlent ? ______
5. Vous apportez des fleurs à vos amis quand ils vous invitent à dîner ? ______

2 **Répondez avec *les* ou *leur*.**

Le professeur pose des questions aux élèves ? *Oui, il leur pose des questions.*

1. Le professeur corrige les élèves ?
______
2. Le professeur donne des exercices aux élèves ?
______
3. Le professeur explique les règles aux élèves ?
______
4. Le professeur aide les élèves ?
______

3 **Faites des phrases avec *lui*, *le* ou *l'*.**

(téléphoner) *Je lui téléphone.*
(appeler) *Je l'appelle.*

1. *(parler)* ______
2. *(écouter)* ______
3. *(regarder)* ______
4. *(sourire)* ______
5. *(écrire)* ______
6. *(attendre)* ______
7. *(embrasser)* ______
8. *(aimer)* ______

LE ou *LUI*

	qui ? ou ***quoi ?***				***à qui ?***			
masc. sing.	*Je*	*le*	*lave.*	(le / ce / mon pull)	*Je*	*lui*	*téléphone.*	(à mon père)
fém. sing.	*Je*	*la*	*lave.*	(la / cette / ma robe)	*Je*	*lui*	*écris.*	(à ma mère)
pluriel	*Je*	*les*	*lave.*	(les / ces / mes vêtements)	*Je*	*leur*	*parle.*	(à mes parents)

PLACE des PRONOMS COMPLÉMENTS

tu me le donnes ? tu lui en achètes ?

Un beau disque

– Oh ! j'adore ce disque. **Tu me le** prêtes ?
– Oui, si **tu me le** rends vite. Je l'écoute tout le temps.
– Mon frère a un graveur. Il **me le** copie ce soir et **je te le** rends demain.
– Vous avez un graveur ? Super ! Tu peux **m'en** faire une copie pour la voiture ? Il te faut des disques vierges ?
– Non, mon frère en a beaucoup. **Je lui en** achète toujours d'avance.

1 Répondez avec un double pronom.

Vous prêtez votre ordinateur à votre fils ? *Oui, je le lui prête.*

1. Vous laissez vos clés à la femme de ménage ?
______
2. Le concierge vous apporte le courrier ?
______
3. Vous donnez du poisson frais à votre chat ?
______
4. Vous vous lavez les dents chaque jour ?
______
5. Vous posez des questions au professeur ?
______
6. Vous prêtez de l'argent à vos amis ?
______
7. Vous vous servez beaucoup de votre portable ?
______
8. On vous livre les courses à domicile ?
______

2 Répondez selon le modèle.

Ce livre a l'air bien. *(prêter)*
Si tu veux, je te le prête.

1. Ton amie Anna est très jolie. *(présenter)*
______
2. J'adore ton pull. *(donner)*
______
3. J'ai besoin d'argent. *(prêter)*
______
4. Je ne comprends pas ce problème. *(expliquer)*
______

3 Répondez avec un double pronom.

Le professeur pose beaucoup de questions aux étudiants ?
Oui, il leur en pose beaucoup.

1. Vous donnez souvent des nouvelles à vos parents ?
______
2. La baby-sitter raconte beaucoup d'histoires aux enfants ? ______
3. Vous offrez parfois des fleurs à votre mère ?
______
4. Vous parlez souvent de votre pays à vos amis ?
______

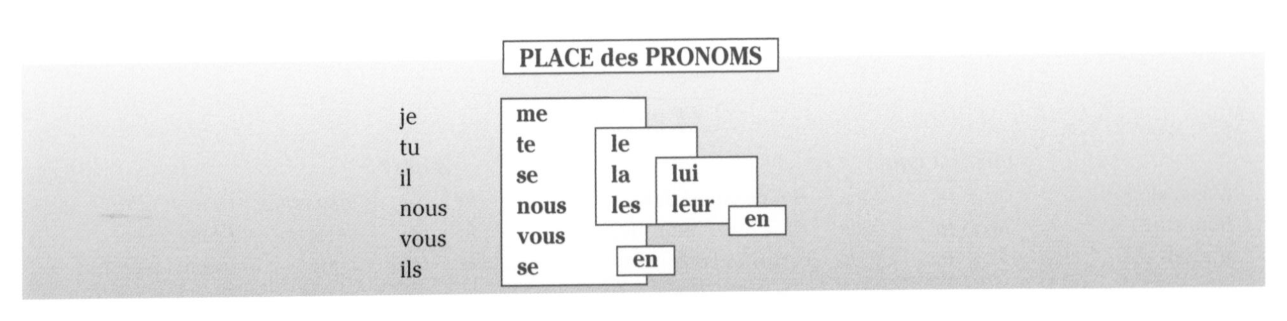

PRONOMS COMPLÉMENTS et NÉGATION

Il ne lui dit rien. Il ne le connaît pas.

Au parc

– Mais où sont les enfants ? Je **ne les** vois **pas** !
– Tu **ne les** entends **pas** ? Ils sont cachés derrière l'arbre !
– Venez les enfants, c'est l'heure du goûter.
– Qu'est-ce que tu **leur** donnes ? des gâteaux ?
– Non, je **ne leur** donne **jamais** de pâtisseries. Je préfère **leur** donner du pain, du chocolat, des fruits...
– Et des bonbons, tu **leur** en donnes ?
– Non, je **ne leur en** donne **pas**, mais ils **en** mangent quand même chez leurs copains.

1 **Répondez en utilisant *le, les, leur, en, y*, selon le modèle.**
Regardez-vous souvent la télévision ? *Non, je ne la regarde pas souvent.*

1. Lisez-vous votre horoscope tous les jours ? ____________________
2. Parlez-vous à vos parents en français ? ____________________
3. Mangez-vous beaucoup de bonbons ? ____________________
4. Croyez-vous aux fantômes ? ____________________
5. Tutoyez-vous votre professeur ? ____________________
6. Posez-vous des questions à votre psychanalyste ? ____________________
7. Offrez-vous des fleurs à votre directeur ? ____________________
8. Donnez-vous du sucre à vos chiens ? ____________________

2 **Répondez selon le modèle.**
Tu ne trouves pas que je ressemble à mon frère ?
Oh non, tu ne lui ressembles pas du tout !

1. Oh ! tu lisais ? Je te dérange ?
____
2. Regarde c'est Paul ! Tu le reconnais ?
____
3. Je parle trop. Je vous ennuie ?
____
4. Il y a un match à 16 heures. Ça t'intéresse ?
____
5. Je voudrais du café. Il y en a encore ?
____
6. Tu aimes ma nouvelle robe. Ça me va ?
____

PRONOMS COMPLÉMENTS et NÉGATION

• La négation se place avant et après le bloc du / des pronoms et du verbe :

Je **ne** [le connais] **pas.** Je **ne** [lui parle] **pas.** Il n' [y en a] **plus.** Je **ne** [lui en donne] **pas.**

PRONOMS TONIQUES

moi, toi, lui

Album photo

– C'est ta mère là, sur la photo ?

– Oui, c'est **elle**, à l'âge de vingt-cinq ans.

– Et à côté, c'est ton père ?

– Non, **lui**, c'est mon oncle.

– Et ces jumeaux, ce sont tes cousins ?

– Non, **eux** : ce sont des amis d'enfance. **Elle**, c'est Julie et **lui**, c'est Arthur.

– Ils ont l'air sympa.

1 **Répondez selon le modèle.**

Qui a appelé ? mon directeur ?
Oui, je crois que c'est lui.

1. Qui a appelé ? ma fille ?
____
2. Qui m'a cherché ? mon mari ?
____
3. Qui a apporté ces fleurs ? la voisine ?
____
4. Qui a mangé les bonbons ? les enfants ?
____

2 **Répondez selon le modèle.**

Marie est avocate. Son mari aussi, je crois.
Non, lui, il n'est pas avocat.

1. Anna fume. Son mari aussi, je crois.
____
2. Igor est russe. Ses parents aussi, je crois.
____
3. Max conduit. Sa femme aussi, je pense.
____
4. Paul parle anglais. Ses enfants aussi, je pense.
____

3 **Répondez selon le modèle.**

Je ne suis pas là en août. Et vous ?
Moi non plus.

1. Je ne bois pas de café le matin. Et vous ?
____
2. Mon fils ne range jamais ses affaires. Et le vôtre ?
____
3. Mes parents ne prennent jamais l'avion. Et les vôtres ? _______________
4. Nous ne fermons jamais la porte à clé. Et vous ?
____

4 **Répondez selon le modèle.**

J'étudie à la bibliothèque. Et vous ?
Moi, par contre, j'étudie à la maison.

1. Mon fils déjeune à la cantine. Et le vôtre ?
____
2. Mes deux fils font leurs devoirs à l'étude. Et les vôtres ? _______________
3. Mon mari déjeune au restaurant. Et le vôtre ?
____
4. Mes filles aiment jouer dehors. Et les vôtres ?
____

PRONOMS TONIQUES

Pronoms sujets	je tu il elle nous vous ils elles	+ verbe
Pronoms toniques	**moi toi lui** elle nous vous **eux** elles	

PRONOMS TONIQUES ou COMPLÉMENTS

à lui ou y ? de lui ou en ?

Le beau Joseph

– À quoi tu penses ?
– À ta soirée d'hier. C'était vraiment réussi, quand j'**y** pense.
– Tu ne penses pas plutôt **à** mon ami Joseph ?
– Et pourquoi est-ce que je penserais à **lui** ?
– Tu n'es pas la seule. Toutes mes copines m'ont appelé pour me parler de la soirée... Enfin pour m'**en** parler un peu et pour me parler beaucoup de Joseph : elles sont toutes folles de **lui**.

1 **Répondez avec *y*, *lui* ou *eux*.**

Elle pense trop à son examen.
Elle y pense trop !
Elle pense trop à ce garçon.
Elle pense trop à lui !

1. Elle s'intéresse beaucoup à l'astrologie.
___
2. Elle s'intéresse beaucoup à ce garçon.
___
3. Elle passe trop de temps au café.
___
4. Elle dépend trop de ses parents.
___

2 **Répondez avec *en*, *elle* ou *eux*.**

Tu as besoin du dictionnaire ?
Oui, j'en ai besoin.
Tu as besoin du professeur ?
Oui, j'ai besoin de lui.

1. Tu es content de ta nouvelle voiture ?
___
2. Tu es content de ta femme de ménage ?
___
3. Tu te souviens de ton premier vélo ?
___
4. Tu te souviens de ton grand-père ?
___

3 **Répondez avec *lui*, *elle(s)*, *eux*, *y* ou *en*.**

Vous vous servez beaucoup de l'ordinateur ? *Oui, je m'en sers beaucoup.*

1. Vous parlez souvent de votre enfance ? ___
2. Vous parlez parfois de votre grand-père ? ___
3. Vous pensez souvent à vos amis ? ___
4. Vous vous occupez beaucoup de vos filles ? ___
5. Vous vous intéressez à la politique depuis toujours ? ___

À LUI ou Y ? DE LUI ou EN ?

- **y / en** remplace des noms de chose précédés de « **à** » ou « **de** ».
  *Je pense **à** mon travail. J'**y** pense souvent.* *Je parle **de** mon travail. J'**en** parle souvent.*
- Pour les personnes, on utilise un pronom tonique.
  *Je pense **à** mon frère. Je pense **à** **lui**.* *Je parle **de** mon frère. Je parle de **lui**.*

IMPÉRATIF

Attendez ! Faites la queue !

Passeport

– Bonjour madame, je voudrais renouveler mon passeport.

– **Prenez** un ticket avec un numéro et **faites** la queue, comme tout le monde. Vous avez tous les documents ?

– Quels documents ?

– **Lisez** l'affiche. C'est écrit.

– Oh là là ! je n'ai pas tout ça.

– Bon, alors **revenez** quand vous aurez tout ce qu'il faut.

1 Donnez des conseils selon le modèle.
(boire de l'eau) *Buvez de l'eau !*

1. *(manger des fruits)* ________________
2. *(respirer)* ________________
3. *(faire du sport)* ________________
4. *(être positif)* ________________
5. *(avoir confiance)* ________________
6. *(être patient)* ________________
7. *(savoir dire « non »)* ________________

2 Donnez des conseils selon le modèle.
(boire de l'alcool) *Ne buvez pas d'alcool !*

1. *(manger de la viande)* ________________
2. *(fumer)* ________________
3. *(prendre du poids)* ________________
4. *(être négatif)* ________________
5. *(être stressé)* ________________
6. *(avoir peur)* ________________
7. *(avoir des regrets)* ________________

3 Transformez selon le modèle.
Choisis une carte.
Choisissez une carte.

1. Remplis ce formulaire.
____
2. Obéis aux consignes.
____
3. Finis ton exercice.
____
4. Réfléchis avant de parler.
____

4 Transformez selon le modèle.
Il faut conduire prudemment.
Conduisez prudemment !

1. Il faut mettre la ceinture !
____
2. Il faut ralentir au feu orange !
____
3. Il faut faire attention !
____
4. Il faut être prudent !
____

IMPÉRATIF

- **Formation** : verbe **sans sujet**
  Regarde ! Regardons ! Regardez !
- **La négation** est régulière.
  Ne regarde pas ! N'écoute pas !
- **Irréguliers** : être : **Soyez !** avoir : **Ayez !** savoir : **Sachez !** vouloir : **Veuillez !**

IMPÉRATIF et PRONOMS

Entrez et asseyez-vous !

Soirée entre amis

– Entrez ! Entrez ! **Donnez-moi** vos manteaux. Ou plutôt **posez-les** là sur la banquette, je m'en occupe.
– Tiens, c'est du champagne. **Mets-le** vite au frigo.
– C'est gentil, mais il ne fallait pas ! **Installez-vous** au salon et **servez-vous** à boire. **Ne m'attendez pas**.
– Attention : **ne t'assois pas** sur ce fauteuil. Il est tout mouillé. J'ai renversé de l'eau. **Assieds-toi** plutôt sur le canapé.

1 **Transformez selon le modèle.**
Ouvre cette lettre ! *Ouvre-la !*

1. Mets ta veste ! ______
2. Range ces livres ! ______
3. Prends du sucre ! ______
4. Va à la boulangerie ! ______
5. Téléphone à ton père ! ______

2 **Transformez selon le modèle.**
(se lever) *Lève-toi !* *Levez-vous !*

1. *(se dépêcher)* ______ ______
2. *(s'habiller)* ______ ______
3. *(s'arrêter)* ______ ______
4. *(se taire)* ______ ______
5. *(s'asseoir)* ______ ______

3 **Répondez selon le modèle.**
Je les attends ? *Oui, attends-les !*
Non, ne les attends pas !

1. Je les invite ? ______
2. Je leur demande ? ______
3. J'y vais ? ______
4. Je t'attends ? ______
5. Je m'assois ? ______

4 **Répondez selon le modèle.**
Tu as acheté le journal ?
Non, achète-le, j'ai oublié de l'acheter.

1. Tu as porté les chemises au pressing ?
______
2. Tu as mis du sel dans les pâtes ?
______
3. Tu as téléphoné à Marie ?
______
4. Tu es allée à la banque ?
______
5. Tu as acheté de l'eau minérale ?
______

IMPÉRATIF et pronoms

- Verbes pronominaux
*Lève-**toi** !* *Habillons-**nous** !*
*Téléphone-**lui** !* *Dis-**leur** !*
*Regarde-**moi** !* *Arrête-**toi** !*

- Forme **négative** + **pronom avant**
*Ne **le** regarde pas !* *Ne **les** écoute pas !*
*Ne **lui** téléphone pas !* *Ne **lui** dis pas !*
*Ne **me** regarde pas !* *Ne **t'**arrête pas !*

PRONOMS RELATIFS

qui, que

Un acteur célèbre

– Regarde l'homme **qui** traverse là-bas. C'est quelqu'un **que** je connais, mais, je ne sais plus **qui** c'est.
– L'homme **qui** porte des lunettes noires ? Mais c'est Max Duval. C'est l'acteur **qui** joue dans *Remix*, le film **qui** a eu trois césars !
– Ah oui, comme je suis bête ! C'est un acteur **que** je trouve sublime, mais il joue toujours dans des films **que** je trouve vraiment idiots.

1 **Répondez selon le modèle.**

C'est un acteur connu ?
Oui, c'est un acteur qui est très connu.

1. C'est un homme intéressant ?

____

2. C'est un film ennuyeux ?

____

3. C'est une belle femme ?

____

4. C'est une histoire triste ?

____

2 **Répondez selon le modèle.**

Prenez le livre, là, sur la table. Pardon ?
Prenez le livre qui est sur la table.

1. Prenez la lettre, là, dans le tiroir. – Pardon ?

____

2. Prenez la veste, là, sur la chaise. – Pardon ?

____

3. Prenez la chaise, là, près du bureau. – Pardon ?

____

4. Prenez les clés, là, sur l'étagère. – Pardon ?

____

3 **Transformez selon le modèle.**

Cet homme met trop de parfum. *Je déteste les hommes qui mettent trop de parfum.*

1. Cet homme a des cravates trop voyantes.

____

2. Cet homme fait trop de compliments.

____

3. Cet homme veut plaire à tout le monde.

____

4. Cet homme ne sait pas écouter.

____

4 **Répondez selon le modèle.**

Je cherche une baby-sitter. *C'est une baby-sitter anglaise que vous cherchez ?*

1. J'attends le nouveau stagiaire.

____

2. Je vends ma vieille moto.

____

3. Je reçois ma jeune correspondante.

____

4. Je cherche une bonne grammaire.

____

QUI, QUE relatifs

- **Qui** reprend le **sujet** d'un verbe, personne ou chose :
  L'homme ***qui*** *passe est très beau.*
  Le bus ***qui*** *passe est vert.*
- **Que** reprend le **complément direct** d'un verbe, personne ou chose :
  L'homme ***que*** *je regarde est très beau.*
  Le bus ***que*** *je regarde est vert.*

PRONOM RELATIF

« où » de lieu et de temps

À Marseille

– Cette année, on va en vacances à Marseille.
– Marseille ? C'est la ville **où** je suis née.
– Ah bon ! On va habiter à l'Estaque. Tu connais ?
– Bien sûr : c'est le quartier **où** j'ai passé toute mon enfance ! J'y suis restée jusqu'en 1990, l'année **où** j'ai passé le bac.
– Eh bien, viens nous rendre visite. On y sera en juillet.
– En juillet, quel dommage, c'est le mois **où** nous avons le plus de travail.

1 **Répondez selon le modèle.**

Vous êtes né dans cette ville ?
Oui, c'est la ville où je suis né.

1. Vous habitez dans cet immeuble ?
____
2. Vous déjeunez dans ce restaurant ?
____
3. Vous travaillez dans cette pièce ?
____
4. Vous dormez dans cette chambre ?
____

2 **Répondez selon le modèle.**

En février, je fais des crêpes. *C'est le mois où je fais des crêpes, moi aussi.*

1. En juillet, je pars en vacances.
____
2. À une heure, je déjeune.
____
3. Le samedi, je fais des courses.
____
4. En 2001, j'ai passé mon permis.
____

3 **Transformez selon les modèles.**

Je suis parti quand vous êtes arrivé. *(jour)* *Je suis parti le jour où vous êtes arrivé.*
Je suis arrivé quand le train partait. *(moment)* *Je suis arrivé au moment où le train partait.*

1. Il est tombé amoureux quand il l'a vue. *(jour)* ______________________
2. Ils ont déménagé quand ils se sont mariés. *(année)* ______________________
3. Je sortais de chez moi quand tu as appelé. *(moment)* ______________________
4. On s'est connus quand on était à l'université. *(époque)* ______________________
5. Je suis entré dans la salle quand le film commençait. *(moment)* ______________________
6. J'avais un chien quand j'habitais à la campagne. *(époque)* ______________________

OÙ de lieu et de temps

- **Où** reprend un complément de lieu ou de temps :
  *La ville **où** je suis né est une petite ville.*
  *Le jour **où** je suis né était un jeudi.*
  ***Au** moment **où** je suis entré, tu sortais.*
  *On s'est connus **à** l'époque **où** j'étais étudiant.*

PRONOMS RELATIFS

dont ou duquel ?

Léo

– Je crois que Marie est amoureuse de Léo.
– Et qui est Léo ?
– C'est le collègue **dont** elle parle tout le temps, tu sais.
– Qui ? le nouveau directeur commercial ?
– Oui, elle dit qu'elle a trouvé l'homme **qui** la comprend, l'homme **qu'**elle attendait, l'homme **dont** elle rêvait.
– Oui, mais c'est aussi l'homme autour **duquel** tournent toutes les femmes...

1 Répondez selon le modèle.

Vous parlez souvent de politique ? *(sujet)*
Oui, c'est un sujet dont je parle souvent.

1. Vous parlez parfois de la pollution ? *(problème)*
____
2. Vous êtes responsable de la gestion ? *(service)*
____
3. Vous vous servez de la photocopieuse ? *(machine)* ______________________________
4. Vous avez besoin du planning ? *(document)*
____

2 Répondez selon le modèle.

J'aime sa façon de danser.
J'aime la façon dont il danse.

1. J'aime sa façon de marcher.
____
2. J'aime sa façon de parler.
____
3. J'aime sa façon de rire.
____
4. J'aime sa façon de s'habiller.
____

3 Posez des questions selon le modèle.

Un fleuve traverse Paris.
Quel est le fleuve qui traverse Paris ?

1. Un volcan a détruit Pompéi.
____
2. Christophe Colomb a débarqué sur une île.
____
3. La fête de la musique a lieu un jour d'été.
____
4. On se sert d'un objet pour ouvrir une bouteille.
____

4 Utilisez *dont* ou *duquel*.

Léo est amoureux d'une fille. *Comment s'appelle la fille dont il est amoureux ?*

1. On m'a parlé d'un film intéressant.
____
2. Je travaille près d'un beau musée.
____
3. J'ai besoin d'un livre de grammaire.
____
4. Je travaille en face d'un grand parc.
____

DONT

• **Dont** = verbe, adjectif ou nom + **de**.
*L'homme **dont** je parle.*
*L'homme **dont** je suis amoureuse.*

DUQUEL

• **Duquel** = après une préposition avec **de**.
*L'homme près **duquel** je suis assis.*
*Le jardin en face **duquel** j'habite.*

RELATIFS COMPOSÉS

lequel, laquelle...

Tout va mal

– Tu as l'air déprimé. Qu'est-ce qui se passe ?
– Eh bien regarde : la pièce **dans laquelle** je travaille est sombre. Les dossiers **sur lesquels** je travaille sont ennuyeux, les clients **pour lesquels** je travaille sont insupportables.
– Moi, c'est le contraire : le projet **auquel** je participe est passionnant et les gens **avec qui** je travaille sont très sympathiques. En plus, mon bureau se trouve dans un immeuble en face **duquel** il y a un lac avec des canards !
– Oh là, là, ce n'est pas juste...

1 Transformez selon le modèle.

Il faut travailler sur ce projet. *C'est effectivement un projet sur lequel il faut travailler.*

1. Il faut insister sur ce point.
____
2. Il faut penser à cette éventualité.
____
3. Il faut répondre à ces demandes.
____
4. Il faut se battre pour ces idées.
____

2 Faites des phrases selon le modèle.

(réfléchir à une proposition) *C'est une proposition à laquelle vous devriez réfléchir.*

1. *(participer à une réunion)*
____
2. *(répondre à une demande)*
____
3. *(penser à des détails)*
____
4. *(assister à un stage)*
____

3 Posez des questions selon le modèle.

Tu ranges les assiettes dans quel placard ? *Quel est le placard dans lequel tu ranges les assiettes ?*

1. Tu fais la vaisselle avec quel produit ?
____
2. Tu jettes les journaux dans quelle poubelle ?
____
3. Tu essuies la vaisselle avec quel torchon ?
____
4. Tu mets les verres sur quelle étagère ?
____

4 Transformez selon le modèle.

J'habite en face d'une maison qui est abandonnée. *(la maison)* *La maison en face de laquelle j'habite est abandonnée.*

1. J'habite au-dessus d'un restaurant qui est très connu. *(le restaurant)* ______________________
2. Je travaille à côté d'un immeuble qui est en travaux. *(l'immeuble)* ______________________
3. Je lis au milieu d'un jardin qui est en fleurs. *(le jardin)* ______________________
4. Je travaille près d'un radiateur qui est très bruyant. *(le radiateur)* ______________________

RELATIFS COMPOSÉS

- **Lequel**, **laquelle** s'utilisent en général après une préposition.
  *La table sur **laquelle** je travaille est en bois.*
  *Le stylo avec **lequel** je travaille est en or.*
- **Auquel**, **auxquels**, **auxquelles** : relatifs contractés avec **à**.
  *– Quel est le journal **auquel** tu es abonné ?*
- **Duquel**, **desquels** : relatifs contractés avec **de**.
  *– Quel est le métro près **duquel** tu habites ?*

QUESTION (2)
où ? quand ? comment ?

Enfant perdu

– **Pourquoi** pleures-tu ?
– …
– **Où** est ta maman ?
– …
– **Comment** tu t'appelles ? Tu es tombée ?
– …
– **Est-ce que** tu veux un biscuit ?
– …
– Tu n'aimes pas ces biscuits ? **Qu'est-ce que** tu veux ?

1 Transformez.

Tu pleures ? *(pourquoi)*
Pourquoi pleures-tu ?

1. Tu es tombée ? *(comment)*
____
2. Tu as mal ? *(où)*
____
3. Tu t'appelles Léa ? *(comment)*
____
4. Tu habites loin ? *(où)*
____

2 Posez des questions selon le modèle.

Je n'habite pas à Paris.
Alors, où habitez-vous ?

1. Je ne travaille pas en France.
____
2. Je ne déjeune pas à treize heures.
____
3. Je ne vais pas au bureau en métro.
____
4. Je ne gagne pas beaucoup d'argent.
____

3 Transformez.

Jean travaille où ?
Où travaille-t-il ?

1. Il habite où ?
____
2. Il arrive quand ?
____
3. Il voyage comment ?
____
4. Il repart quand ?
____

4 Posez des questions selon le modèle.

(gâteaux) *Est-ce que vous aimez les gâteaux ? Qu'est-ce que vous aimez comme gâteaux ?*

1. *(jus de fruits)* _______________
____
2. *(vin)* _______________
____
3. *(glaces)* _______________
____
4. *(desserts)* _______________

OÙ ? QUAND ? COMMENT ?…

- **Où**, **quand**, **comment**, etc. en début de phrase : inversion du verbe et du sujet.
  *– **Où** habitez-vous ?* *– **Comment** vous appelez-vous ?* *– **Quand** partez-vous ?*

QUESTION (3)

qui ? que ? qu'est-ce qui ? qu'est-ce que ?

Supporters

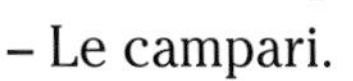

– **Qu'est-ce que** tu veux boire ?
– **Qu'est-ce que** tu as ?
– Du campari ou du porto.
– **Qu'est-ce qui** est le plus léger ?
– Le campari.
– Alors juste une goutte.
– **Qui est-ce qui** veut des cacahuètes ?
– Moi ! Merci. Mais... **qu'est-ce qui** se passe dans la rue ?
– Je crois que c'est la France qui a gagné...

1 **Posez des questions.**
J'ai acheté quelque chose de bon...
Qu'est-ce que tu as acheté ?

1. J'ai vu quelque chose d'étonnant.
____
2. Le speaker a dit quelque chose d'intéressant.
____
3. Les enfants ont cuisiné quelque chose de bizarre.
____
4. J'ai mangé quelque chose de mauvais.
____

2 **Posez des questions.**
J'ai invité plusieurs amis.
Qui est-ce que vous avez invité ?

1. J'ai croisé quelqu'un dans l'escalier.
____
2. Nous avons vu une actrice célèbre.
____
3. Les enfants ont invité des copains.
____
4. J'aimerais rencontrer un grand écrivain.
____

3 **Posez des questions.**
Ça marche mal.
Qu'est-ce qui marche mal ?

1. Ça fait du bruit.
____
2. C'est en métal.
____
3. C'est cassé.
____
4. Ça coûte cher.
____

4 **Posez des questions.**
Quelqu'un vous a invité.
Qui est-ce qui m'a invité(e) ?

1. Quelqu'un vous a téléphoné.
____
2. Quelqu'un vous a écrit.
____
3. Quelqu'un vous a cherché(e).
____
4. Quelqu'un vous a attendu(e).
____

QU'EST-CE QUI ? QU'EST-CE QUE ?

sujet	objet
Qu'est-ce qui se passe ? **Que** se passe-t-il ?	**Qu'est-ce que** tu manges ? **Que** manges-tu ?
Qui est-ce qui habite ici ? **Qui** habite ici ?	**Qui est-ce que** tu cherches ? **Qui** cherches-tu ?

QUESTIONS (4)

quel, quelle ? lequel, laquelle ?

Quelle heure est-il ?

– **Quelle** heure est-il ?
– Huit heures et quart.
– **Quel** temps fait-il ?
– Il pleut comme d'habitude !
– Ouh là, là... Je suis en retard. Tu sais où sont mes livres ?
– **Quels** livres ?
– Ceux que j'ai achetés hier. Ah, ils sont restés dans le sac. Et mes chaussures ! Où sont-elles ?
– **Lesquelles** ? les noires sont sous le lit mais je ne sais pas où sont les autres.

1 **Posez les questions avec *quel(le)*.**
(nom) *Quel est votre nom ?*

1. *(prénom)* ______
2. *(nationalité)* ______
3. *(adresse)* ______
4. *(numéro de téléphone)* ______

2 **Posez des questions avec *quel(le)*.**
Il est 8 h ou 9 h ? *Quelle heure est-il ?*

1. Il fait chaud ou froid dehors ? ______
2. Nous sommes le 8 ou le 9 ? ______
3. Vous avez 32 ou 33 ans ? ______
4. Vous faites l'exercice 1 ou 2 ? ______

3 **Posez des questions.**
Tu connais cette nouvelle marque ?
De quelle marque s'agit-il ?

1. Tu connais ce nouveau modèle ? ______
2. Tu connais cette nouvelle machine ? ______
3. Tu connais ce nouveau programme ? ______
4. Tu connais cette nouvelle voiture ? ______

4 **Répondez selon le modèle.**
Passe-moi la nappe.
Laquelle ? la grande ou la petite ?

1. Passe-moi la casserole. ______
2. Passe-moi les verres. ______
3. Passe-moi les assiettes. ______
4. Passe-moi les couteaux. ______

QUEL ? LEQUEL ?

• **Quel** s'accorde avec le nom.

	masculin	féminin
singulier	**quel**	**quelle**
pluriel	**quels**	**quelles**

• **Lequel** = quel + nom.

	masculin	féminin
singulier	**lequel**	**laquelle**
pluriel	**lesquels**	**lesquelles**

DISCOURS INDIRECT au PRÉSENT

il dit que..., il demande si...

C'est le facteur

– Bonjour. C'est le facteur ! J'ai un paquet.
– C'est le facteur, maman. **Il dit qu'**il a un paquet.
– Vous pouvez ouvrir la porte ?
– **Il demande si** on peut ouvrir la porte.
– L'ascenseur est en panne ! Est-ce que quelqu'un peut descendre ?
– **Il dit que** l'ascenseur est en panne. Il demande **si** quelqu'un peut descendre.
– Je me demande **ce qu'**il y a dans ce paquet... **Dis**-lui **de** regarder qui est l'expéditeur.

1 **Transformez.**

Tu veux quelque chose ?
Il lui demande si elle veut quelque chose.

1. Est-ce que tu es libre ce soir ? ______________________
2. Tu as envie de sortir ? ______________________
3. Est-ce que tu veux aller au ciné ? ______________________
4. Tu aimes les films policiers ? ______________________

2 **Transformez.**

Qu'est-ce qui te plaît ?
Dis-moi ce qui te plaît.
Qu'est-ce que tu aimes ?
Dis-moi ce que tu aimes.

1. Qu'est-ce que tu veux boire ? ______________________
2. Qu'est-ce qui te fait rire ? ______________________
3. Qu'est-ce que tu regardes ? ______________________
4. Qu'est-ce qui est si drôle ? ______________________

3 **Transformez.**

J'ai faim. J'ai froid. – Qu'est-ce qu'il dit ? *Il dit qu'il a faim et qu'il a froid.*

1. Je suis fatigué. J'ai envie de dormir. Qu'est-ce qu'il dit ? ______________________
2. Je suis pressé. Je dois partir. Qu'est-ce qu'il dit ? ______________________
3. Il reste du café ? Quelqu'un en veut ? Qu'est-ce qu'il demande ? ______________________
4. Il pleut ? Il fait froid ? Qu'est-ce qu'il demande ? ______________________
5. Qu'est-ce qui se passe dehors ? Qu'est-ce qu'il demande ? ______________________
6. Qu'est-ce qu'il y a comme dessert ? Qu'est-ce qu'il demande ? ______________________
7. Attachez votre ceinture. Ralentissez ! Qu'est-ce qu'il nous dit ? ______________________
8. Fermez la porte. Éteignez la lumière ! Qu'est-ce qu'il nous dit ? ______________________

INTERROGATION INDIRECTE

• affirmation :	**que**	J'ai soif.	*Il dit **qu'**il a soif.*
• question :	**si**	Tu as soif ?	*Il demande **si** elle a soif.*
• impératif :	**de**	Assieds-toi.	*Il lui dit **de** s'asseoir.*
• qu'est-ce que / qui	**ce que / qui**	qu'est-ce qui se passe ? qu'est-ce que tu fais ?	*Il demande **ce qui** se passe.* *Il demande **ce qu'**elle fait.*

NÉGATION (2)

ne... plus, ne... jamais, ne pas... encore

Faux jumeaux

– Pierre et Paul sont vraiment différents.
– C'est vrai. Pierre sourit tout le temps, Paul **ne** sourit **jamais**. Pierre a l'air heureux. Paul **n'**est **jamais** content.
– Paul habite encore chez ses parents, je crois ?
– Oui, alors que Pierre **ne** vit **plus** chez eux depuis belle lurette.
– Paul est encore étudiant. Il **n'**est pas **encore** indépendant parce qu'il **ne** travaille **pas**.

1 **Répondez avec *ne... jamais*.**
Je porte toujours du noir.
Je ne porte jamais de noir.

1. Je mets toujours un pyjama pour dormir.
   ____
2. Je prends toujours un somnifère.
   ____
3. Je rêve parfois la nuit.
   ____
4. Je me couche quelquefois après minuit.
   ____

2 **Répondez avec *ne... plus* et un pronom.**
Vous allez toujours à la piscine ?
Non, je n'y vais plus.

1. Vous faites toujours du piano ?
   ____
2. Vous avez encore votre vieux vélo ?
   ____
3. Vous voyez toujours vos amis d'enfance ?
   ____
4. Vous allez toujours en vacances à Capri ?
   ____

3 **Répondez avec *ne... pas encore*.**
Il est déjà minuit ?
Non, il n'est pas encore minuit.

1. Les invités sont déjà là ?
   ____
2. Le repas est déjà prêt ?
   ____
3. Le film a déjà commencé ?
   ____
4. Vous avez déjà fini ?
   ____

4 **Répondez à la forme négative.**
Elle fume toujours.
Elle ne fume plus.

1. Il pleut encore. ___________________________
2. Tu es toujours à l'heure. ___________________________
3. J'ai encore faim. ___________________________
4. Ils sont déjà à la retraite. ___________________________
5. Elle est déjà mariée. ___________________________
6. Je bois parfois du vin. ___________________________
7. Elle est toujours contente. ___________________________
8. Je travaille quelquefois le samedi. ___________________________

NE... PLUS, NE... JAMAIS

- **ne... jamais**
  = pas une seule fois
  *Je **ne** bois **jamais** de vin.*
- **ne... plus**
  = changement d'habitude
  *Je fumais. Je **ne** fume **plus**.*
- **ne... pas encore**
  = dans peu de temps
  *Il **n'**est **pas encore** midi. Il est 11 heures 45.*

NÉGATION (3)

ne... rien, ne... personne, ne... aucun, ne... que

Votre fils

– Votre fils est curieux. Il s'intéresse à tout. Le mien **ne** s'intéresse à **rien**. Il **ne** fait **rien** et il **n'**aime **rien**.
– Mais non, vous exagérez. Il est charmant.
– Regardez votre fils, il connaît tout le monde. Il parle à tout le monde. Le mien **ne** connaît **personne** et il **ne** parle à **personne**… Il **ne** fait **aucun** effort. Il **n'**a **aucun** ami.
– Moi, je le trouve adorable et puis il **n'**a **que** douze ans. Il changera peut-être.

1 **Répondez avec *ne... personne*.**

Vous attendez quelqu'un ?
Non, je n'attends personne.

1. Vous connaissez quelqu'un ici ? ______
2. Vous avez rencontré quelqu'un ? ______
3. Vous voulez parler à quelqu'un ? ______
4. Il y a quelqu'un chez vous en ce moment ? ______

2 **Répondez avec *ne... rien*.**

Vous buvez quelque chose ?
Non, je ne bois rien.

1. Vous mangez quelque chose le matin ? ______
2. Vous faites quelque chose le samedi soir ? ______
3. Vous avez besoin de quelque chose ? ______
4. Vous lisez quelque chose d'intéressant en ce moment ? ______

3 **Répondez avec *ne... aucun*.**

J'ai lu plusieurs livres de Balzac.
Moi, je n'en ai lu aucun.

1. J'ai vu plusieurs films de Renoir. ______
2. J'ai beaucoup d'amis en France. ______
3. Je connais toutes les chansons de Brassens. ______
4. J'ai fait tous mes exercices. ______

4 **Répondez avec *ne... que*.**

Tu as bu tout le vin ? *(un verre)*
Non, je n'en ai bu qu'un verre.

1. Tu as mangé tout le pain ? *(deux tranches)* ______
2. Tu as invité tous tes amis ? *(une dizaine)* ______
3. Tu as fait tous les exercices ? *(une partie)* ______
4. Tu as bu tout le café ? *(une tasse)* ______

NE... RIEN, NE... PERSONNE

- **ne... rien** ± quelque chose
  Il fait nuit. Je ***ne*** *vois* ***rien****.*
- **ne... personne** ≠ quelqu'un
  La salle est vide. Il ***n'****y a* ***personne****.*
- **ne... aucun** = pas un seul
  Il est seul. Je ***n'****ai* ***aucun*** *ami.*

⚠ • **ne... que = seulement**   *Ce n'est pas cher. Ça* ***ne*** *coûte* ***qu'****un euro.*

FUTUR PROCHE

il va pleuvoir

Une grosse averse

– Oh regarde, le ciel est tout noir. Dépêchons-nous de rentrer : **il va pleuvoir**.

– Attention, regarde devant toi : **tu vas tomber** !

– Ouh là là c'est vrai, ça glisse.

– Arrêtons-nous ! La voiture est garée trop loin. **On va être** trempés.

– Bon, on **va attendre** sous un arbre. C'est seulement une grosse averse. Ça **va** bientôt **s'arrêter**...

1 **Faites des phrases selon le modèle.**

Ne cours pas ! *(tomber)*

Ne cours pas ! Tu vas tomber !

1. Arrête de manger ! *(grossir)*

____

2. Prenez un parapluie ! *(pleuvoir)*

____

3. Attachez vos ceintures ! *(décoller)*

____

4. Ne réveille pas le bébé ! *(pleurer)*

____

2 **Répondez selon le modèle.**

Qu'est-ce que vous allez manger à midi ?

Je ne sais pas ce que je vais manger.

1. Qu'est-ce que vous allez faire ce soir ?

____

2. Qu'est-ce que vous allez acheter au marché ?

____

3. Qu'est-ce que vous allez voir au cinéma ?

____

4. Qu'est-ce que vous allez mettre pour sortir ?

____

3 **Répondez selon le modèle.**

Il pleut ?

Pas encore, mais il va bientôt pleuvoir.

1. Tu pars ?

____

2. Le film commence ?

____

3. Les magasins ferment ?

____

4. Vous dînez ?

____

4 **Transformez selon le modèle.**

D'habitude je commence mon travail vers 9 h. *Demain, je vais commencer plus tôt.*

1. En général, je rentre chez moi vers 8 h.

____

2. D'habitude, je pars du bureau vers 7 h.

____

3. En général, je dîne vers 9 h.

____

4. D'habitude, je me couche vers minuit.

____

FUTUR PROCHE

• Le futur proche indique un événement **immédiat** ou **lointain**.

Tout à l'heure	*Je*	***vais***	*partir.*	*Nous*	***allons***	*partir.*
L'année prochaine	*Tu*	***vas***	*partir.*	*Vous*	***allez***	*partir.*
	Il	***va***	*partir.*	*Ils*	***vont***	*partir.*

FUTUR PROCHE et PRONOMS

Je vais lui téléphoner.

Bricoleur

– Tiens, c'est bizarre. Je n'arrive pas à ouvrir la fenêtre.
– Attends : **je vais t'aider**. Il faut tirer fort. Voilà. Oh zut : j'ai cassé la vitre.
– Ne touche surtout pas aux morceaux de verre : tu **vas te couper** ! Je **vais les ramasser** avec des gants.
– Bon, je vais acheter une autre vitre et je **vais te l'installer**.
– Non, non, je vais téléphoner au vitrier et **je vais lui dire** de venir **la remplacer**. C'est plus sûr.

1 **Faites des phrases selon le modèle.**

Je n'arrive pas à ouvrir la fenêtre. *(aider)* *Attends, je vais t'aider.*

1. Je dois aller à la gare. *(accompagner)* ____________
2. Il n'y a plus de pain. *(acheter)* ____________
3. La vaisselle est sale. *(laver)* ____________
4. Les plantes sont toutes sèches. *(arroser)* ____________
5. Ta mère est au téléphone. *(parler)* ____________
6. Les enfants doivent faire leurs devoirs. *(aider)* ____________

2 **Faites des phrases selon le modèle.**

Le bus arrive. Cours ! *(rater)* *Le bus arrive. Cours sinon tu vas le rater.*

1. Attache ton écharpe ! *(perdre)*

____

2. Couvre-toi ! *(s'enrhumer)*

____

3. Ne touche pas à la casserole ! *(se brûler)*

____

4. Prends tes clés. *(oublier)*

____

3 **Faites des phrases selon le modèle.**

Le ciel est noir. *(orage)*
Oui, je crois qu'il va y avoir de l'orage.

1. Il fait humide. *(brouillard)*

____

2. C'est le week-end. *(embouteillages)*

____

3. Il pleut beaucoup. *(inondations)*

____

4. Il y a un concert de rock. *(monde)*

____

PLACE du PRONOM

• Devant le verbe à l'infinitif :

Je	*vais*	***lui***	*téléphoner.*
Elle	*va*	***les***	*voir.*
Ils	*vont*	***en***	*acheter.*
Il	*va*	***y***	*avoir du vent.*

CONSTRUCTIONS INFINITIVES

Je dois le voir, tu peux lui téléphoner.

Pauvre bébé

– Allô ! Ah c'est toi maman ! Tu veux parler à Marie ? D'accord, **je vais lui dire**… Mais est-ce qu'**elle peut te rappeler** plus tard ? J'attends un coup de fil.

– Pierre ! Pierre ! Le bébé est malade. Je **dois l'emmener** chez le docteur. Tu **peux m'accompagner** ?

– Ben écoute, mon client **va me rappeler** d'un moment à l'autre.

– Mais le bébé a de la fièvre. Je dois voir le médecin.

– Écoute, appelle ma mère : **elle va t'accompagner**. Elle **voulait** justement **te voir**.

1 Faites des phrases.

Vous êtes occupé ? *(rappeler)* *Vous êtes occupé ? Je peux vous rappeler ?*

1. Le directeur est là ? *(parler)*
 ____
2. L'ordinateur est réparé ? *(utiliser)*
 ____
3. La salle de réunion est libre ? *(aller)*
 ____
4. Les rapports sont prêts ? *(envoyer)*
 ____

2 Répondez selon le modèle.

À quelle heure devez-vous être au bureau ? *(9 heures)* *Je dois y être à 9 heures.*

1. À quelle heure devez-vous vous lever ? *(7 heures)*
 ____
2. Où devez-vous rencontrer le directeur ? *(gare)*
 ____
3. Où devez-vous recevoir les clients ? *(bureau)*
 ____
4. À quelle heure devez-vous être chez vous ? *(20 heures)* ______________________

3 Répondez selon le modèle.

Ta baby-sitter peut garder mes enfants ? *Oui, elle peut les garder sans problème.*

1. Les enfants peuvent regarder le film à la télé ?
 ____
2. Nous pouvons dîner sur la terrasse ?
 ____
3. Ma fille peut se servir de ton ordinateur ?
 ____
4. On peut manger du chocolat pour le goûter ?
 ____

4 Répondez selon le modèle.

Vous allez voir vos parents le samedi ou <u>le dimanche</u> ? *Je vais les voir le dimanche.*

1. Vous devez réveiller les enfants à 7 h ou à <u>8 h</u> ?
 ____
2. Vous préférez boire le café avec ou <u>sans sucre</u> ?
 ____
3. Vous aimez aller au cinéma l'après-midi ou <u>le soir</u> ?
 ____
4. Vous pensez faire un ou <u>plusieurs</u> exercices ?
 ____

PLACE des PRONOMS

• On place le pronom devant le verbe à l'**infinitif** :

Je	*vais*	***lui***	***téléphoner.***
Tu	*peux*	***les***	***accompagner.***
Il	*doit*	***en***	***acheter.***

CONSTRUCTIONS INFINITIVES

Il ne peut pas venir. On ne doit pas l'attendre.

Escalade

– Tu as besoin du dictionnaire qui est en haut de la bibliothèque ? Attends. **Je vais l'attraper.**
– Attention : ce n'est pas solide. **Tu vas tomber** !
– Mais non, ne t'inquiètes pas, **je ne vais pas** tomber. **Tu vas me tenir** la chaise et ça va aller.
– C'est trop haut. **Tu ne vas pas y arriver.**
– Ça y est ! J'y suis. Oh là ! il est lourd ! **Je ne peux pas le prendre** d'une seule main. Aïe.
– Eh voilà ! Maintenant il est tout abîmé et **il faut le recoller.**

1 Répondez selon le modèle.

Fais attention, tu vas tomber !
Mais non, je ne vais pas tomber…

1. Dépêche-toi, tu vas être en retard !
____
2. Couvre le bébé : il va prendre froid !
____
3. Prends un parapluie : il va pleuvoir !
____
4. Ne rentrez pas tard, les enfants !
____

2 Répondez à la forme négative.

Attention : tu vas déchirer ton pantalon !
Mais non, je ne vais pas le déchirer !

1. Ne caresse pas ce chien. Il va te mordre !
____
2. Mets une serviette : tu vas tacher ta chemise !
____
3. Baisse la musique. Ça va réveiller les voisins !
____
4. Le bus arrive ! On va le rater !
____

3 Répondez selon le modèle.

Je dois repasser et ranger ce pull ? *Oui, vous devez le repasser et le ranger.*

1. Je dois laver et étendre cette chemise ?
____
2. Je dois essuyer et ranger la casserole ?
____
3. Je dois aspirer et cirer le parquet ?
____
4. Je dois brosser et cirer les chaussures ?
____

4 Répondez selon le modèle.

On peut boire de l'eau de cette fontaine ?
Non, il ne faut pas en boire.

1. On peut manger des yaourts périmés ?
____
2. On peut utiliser son portable en avion ?
____
3. On peut parler au chauffeur dans un bus ?
____
4. On peut donner du sucre à ton chien ?
____

PLACE de la NÉGATION

• Avant et après le verbe conjugué.

Je		*vais*		*sortir.*
Elle	***ne***	*peut*	***pas***	*le voir.*
Il		*faut*		*leur en donner.*

PASSÉ COMPOSÉ avec *ÊTRE*

Je suis rentré et je me suis couché.

Cambriolage

– Vous savez que des voleurs **sont entrés** dans l'immeuble hier soir ?
– **Ils sont passés** par où ?
– Par le toit. **Ils sont descendus** sur le balcon des voisins avec une échelle et **ils sont entrés** par la fenêtre.
– Qu'est-ce qu'ils ont pris ?
– La télé, l'ordinateur, les bijoux... **Ils sont restés** une heure et ils ont tout pris.
– Les propriétaires **sont rentrés** quand ?
– **Ils se sont réveillés** à sept heures comme tous les jours. Ils n'ont rien entendu...

1 **Complétez selon le modèle.**
D'habitude, Max part à 8 heures.
Hier, il est parti à 8 heures et demie.

1. D'habitude, le bus arrive à 9 heures.
____
2. D'habitude, le facteur passe à 10 heures.
____
3. D'habitude, le professeur reste jusqu'à midi.
____
4. D'habitude, mon fils sort à 6 heures.
____

2 **Répondez selon le modèle.**
À quelle heure êtes-vous parti, hier ? *(10 h)*
Je suis parti à 10 h.

1. À quelle heure êtes-vous arrivé ? *(18 h)*
____
2. Vous êtes allé à l'hôtel comment ? *(taxi)*
____
3. Par où êtes-vous passé ? *(porte d'Italie)*
____
4. Vous êtes arrivé à quelle heure ? *(20 h)*
____

3 **Répondez selon le modèle.**
Vous vous êtes promené hier soir ?
Oui, je me suis promené hier soir.

1. Vous vous êtes assis dans les jardins ?
____
2. Vous vous êtes arrêté devant les vitrines ?
____
3. Vous vous êtes trompé de chemin ?
____
4. Vous vous êtes perdu dans les petites rues ?
____

4 **Répondez selon le modèle.**
Hier, les enfants se sont couchés tôt ou <u>tard</u> ?
Ils se sont couchés tard.

1. Ils se sont levés tard ou <u>tôt</u> ?
____
2. Ils se sont lavés avant ou <u>après le petit déjeuner</u> ?
____
3. Ils se sont débarbouillés ou ils <u>se sont douchés</u> ?
____
4. Ils se sont habillés d'hiver ou <u>d'été</u> ?
____

PASSÉ COMPOSÉ avec *ÊTRE*

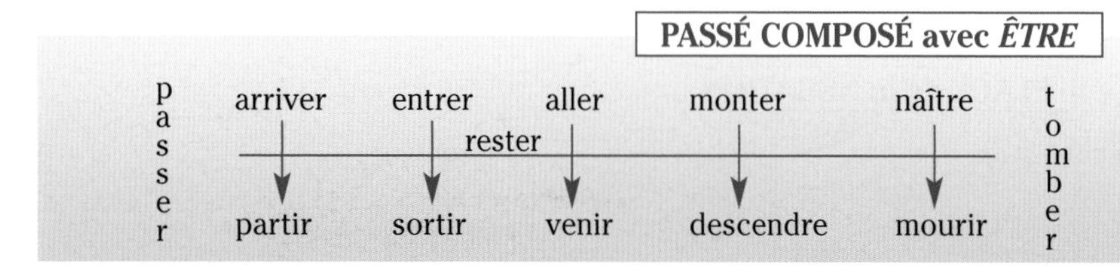

verbes pronominaux
se laver — se coucher
se promener — se tromper

PASSÉ COMPOSÉ avec *AVOIR*

j'ai mangé, j'ai travaillé

Bingo

– Salut Léa. **Tu as acheté** une nouvelle veste ?

– Oui, et regarde **j'ai acheté** aussi de nouvelles chaussures et un nouveau sac.

– Dis donc **tu as gagné** au loto ?

– Exactement : **j'ai joué** hier pour la première fois et **j'ai gagné** 1 000 euros. **J'ai** tout **dépensé**.

– Quelle chance ! moi je joue toutes les semaines et **je** n'**ai** jamais rien **gagné** !

1 Répondez selon le modèle.

Qu'est-ce que tu as acheté, hier ? *(veste)*

J'ai acheté une veste.

1. Où as-tu déjeuné ? *(cantine)*

____

2. Qu'est-ce que tu as mangé ? *(poisson)*

____

3. Qui as-tu rencontré ? *(Joseph)*

____

4. De quoi avez-vous parlé ? *(sport)*

____

2 Répondez selon le modèle.

Vous terminez à 18 h ? hier aussi ?

Oui, hier aussi, j'ai terminé à 18 h.

1. Vous commencez toujours à 8 heures ? hier aussi ?

____

2. Vous dînez toujours au restaurant ? hier aussi ?

____

3. Vous regardez toujours le journal télévisé ? hier aussi ? ______________________________

4. Vous buvez du vin à midi ? hier aussi ?

____

3 Répondez selon le modèle.

Chaque mois, les prix augmentent.

Le mois dernier aussi ils ont augmenté.

1. Chaque année, mes revenus diminuent.
   L'année dernière ______________________________
2. Tous les étés, mes enfants travaillent.
   L'été dernier, ______________________________
3. Tous les dimanches, mon équipe de foot gagne.
   Dimanche dernier, ______________________________
4. Aujourd'hui, il neige sur toute la France.
   Hier ______________________________

4 Répondez selon le modèle.

N'acceptez pas leur proposition !

Trop tard, j'ai accepté.

1. Ne signez pas !

____

2. Ne refusez pas notre offre !

____

3. Ne démissionnez pas !

____

4. Ne parlez pas à la presse !

____

PASSÉ COMPOSÉ avec *AVOIR*

Hier	*J'*	***ai***	*travaillé*	*Nous*	***avons***	*travaillé*
	Tu	***as***	*travaillé*	*Vous*	***avez***	*travaillé*
	Il	***a***	*travaillé*	*Ils*	***ont***	*travaillé*

• Verbes en ***-er*** : radical de l'infinitif + ***é***
manger : j'ai mangé
regarder : j'ai regardé

PARTICIPES PASSÉS en *-is*, *-u*...

j'ai lu, j'ai écrit, j'ai dormi

Chat perdu

– **J'ai perdu** mon chat !
– Qu'est-ce que vous dites ?
– Moussy, mon petit chat **a disparu** !
– Oh mon Dieu. **Vous avez mis** des affiches ?
– Oui, on m'a dit de mettre une de ses photos, alors **j'ai mis** celle-là, vous voyez, où il est si mignon et **j'ai écrit** : « Moussy **a perdu** sa maîtresse. Appelez svp au 01 32 34 45 67. »
– Vous **avez fait** du bon travail. Vous allez vite le retrouver !

1 **Conjuguez selon les modèles.**

(perdre) *J'ai perdu.* *Vous avez perdu.*
(lire) *J'ai lu.* *Vous avez lu.*

1. *(boire)* ____________ ____________
2. *(entendre)* ____________ ____________
3. *(attendre)* ____________ ____________
4. *(voir)* ____________ ____________
5. *(prendre)* ____________ ____________
6. *(apprendre)* ____________ ____________
7. *(comprendre)* ____________ ____________
8. *(mettre)* ____________ ____________

2 **Transformez selon le modèle.**

Il met une veste et il prend ses clés.
Il a mis une veste et il a pris ses clés.

1. Elle boit un café et elle met deux sucres.
____
2. Tu reçois un message et tu réponds.
____
3. Nous attendons le bus et nous lisons le journal.
____
4. Il boit du whisky, il est malade et il a mal à la tête.
____

3 **Faites des phrases.**

(écrire) *On m'a dit d'écrire, alors, j'ai écrit.*

1. *(répondre)* ____________________________
____
2. *(attendre)* ____________________________
____
3. *(courir)* ____________________________
____

4 **Faites des phrases.**

(bière) *J'ai bu une bière.*
(français) *J'ai appris le français.*

1. *(café)* ____________________________
2. *(douche)* ____________________________
3. *(livre)* ____________________________
4. *(mal à la tête)* ____________________________
5. *(malade)* ____________________________
6. *(gymnastique)* ____________________________

PARTICIPES PASSÉS

<u>avoir</u>	**eu**	comprendre	**compris**	<u>faire</u>	**fait**	pouvoir	**pu**
apprendre	**appris**	découvrir	**découvert**	lire	**lu**	prendre	**pris**
attendre	**attendu**	<u>dire</u>	**dit**	mettre	**mis**	recevoir	**reçu**
boire	**bu**	devoir	**dû**	offrir	**offert**	répondre	**répondu**
choisir	**choisi**	écrire	**écrit**	ouvrir	**ouvert**	savoir	**su**
finir	**fini**	<u>être</u>	**été**	perdre	**perdu**	voir	**vu**

PASSÉ COMPOSÉ et FUTUR PROCHE

J'ai dîné et je vais rentrer.

Travaux

– Oh ! encore des travaux. Qu'est-ce que **vous allez faire** cette fois-ci ?
– Eh bien, vous voyez : **on a supprimé** le parking et **on va aménager** la place. Regardez le projet est affiché là.
– C'est pas mal. Vous **allez installer** une fontaine et **planter** des arbres ? Les travaux **vont durer** longtemps ?
– Eh bien, **on a commencé** le 1er et **on va finir** le 15.
– Ah ! je vois. Vous devez finir juste avant les élections.

1 **Faites des phrases selon les modèles.**

Aujourd'hui, je dîne chez moi. *(demain)* *Demain aussi, je vais dîner chez moi.*
Aujourd'hui, je dîne chez moi. *(hier)* *Hier aussi, j'ai dîné chez moi.*

1. Ce soir, je travaille tard. *(demain)* ______
2. Aujourd'hui, je déjeune au restaurant. *(hier)* ______
3. Ce soir, je rentre à pied. *(hier)* ______
4. Aujourd'hui, je vais à la piscine. *(demain)* ______
5. Ce soir, je prends un bain brûlant. *(hier)* ______
6. Ce soir, je me couche tôt. *(hier)* ______
7. Cette semaine, j'ai des réunions. *(la semaine prochaine)* ______
8. Cette année, je paye beaucoup d'impôts. *(l'année dernière)* ______

2 **Faites des phrases selon le modèle.**

Il prend le bus. *Demain, il va prendre le bus. Hier, il a pris le bus.*

1. Il lit le journal. ______
2. Tu fais du yoga. ______
3. Il reçoit du courrier. ______
4. Elle vient chez moi. ______
5. Je dors 8 heures. ______
6. Nous suivons un cours de français. ______
7. Elle reste chez elle. ______
8. Ils vont au bureau. ______

FUTUR PROCHE	PASSÉ COMPOSÉ
ALLER + infinitif	*ÊTRE* ou *AVOIR* + participe passé

PASSÉ COMPOSÉ et NÉGATION

Je n'ai pas mangé. Il n'est pas parti.

Congé maladie

– Oh là là, qu'est-ce que je suis fatiguée ! **Je n'ai pas dormi**. J'ai travaillé toute la nuit. Et **je n'ai pas fini** mon travail.
– Moi au contraire j'ai très bien dormi. Ce matin, **je n'ai pas entendu** le réveil et **je ne suis pas allée** au travail.
– Et qu'est-ce que tu as donné comme excuse ?
– J'ai dit que j'étais malade. Ça fait vingt ans que je travaille et **je n'ai jamais été** malade. **Je n'ai jamais pris** un seul jour de congé maladie.
– Oui, le seul problème c'est que tu as une mine superbe.

1 **Répondez selon le modèle.**

Alina a aimé la pièce de théâtre.
Moi, je n'ai pas aimé !

1. Elle a ri. ____________
2. Elle a pleuré. ____________
3. Elle a crié. ____________
4. Elle a applaudi. ____________

2 **Répondez selon le modèle.**

(recevoir) *Vous avez reçu ou vous n'avez pas reçu ma lettre ?*

1. *(lire)* ____________
2. *(garder)* ____________
3. *(répondre à)* ____________
4. *(réfléchir à)* ____________

3 **Répondez selon le modèle.**

Vous avez vu Paul et Marie ?
J'ai vu Paul mais je n'ai pas vu Marie.

1. Vous avez fini votre viande et vos frites ?
____
2. Vous avez pris un fromage et un dessert ?
____
3. Vous avez bu une bière et un café ?
____
4. Vous êtes allé à la banque et à la poste ?
____
5. Vous avez lu le journal et la revue ?
____

4 **Répondez selon le modèle.**

J'ai toujours aimé le fromage. Et vous ?
Moi, je n'ai jamais aimé le fromage !

1. J'ai toujours travaillé la nuit. Et vous ?
____
2. J'ai toujours aimé le football. Et vous ?
____
3. J'ai toujours pris des somnifères. Et vous ?
____
4. Je me suis toujours couché tard. Et vous ?
____
5. Je suis toujours parti en août. Et vous ?
____

NÉGATION

• La négation se place avent et après le verbe conjugué.

Je **ne** *suis* **pas** *parti.* *Je* **n'** *ai* **pas** *mangé.*

PASSÉ COMPOSÉ, PRONOMS et NÉGATION

Je l'ai vu mais je ne lui ai pas parlé.

Chat trouvé

– Alors Madame Michel, vous avez retrouvé votre chat ?

– Oui, ça y est ! Je **l'ai retrouvé** ! C'est un petit garçon qui **l'a reconnu**, grâce à la photo. Moussy était en haut d'un arbre. Le garçon **l'a appelé** par son nom et sa maman **lui a donné** du lait.

– Vous avez enlevé vos affiches ?

– Oh mon dieu non, je **ne les ai pas enlevées**. Je vais vite le faire. J'ai eu au moins dix appels depuis ce matin...

1 **Répondez selon le modèle.**

Hier soir, vous avez lu votre courrier ?
Oui, je l'ai lu en rentrant.

1. Vous avez écouté vos messages ?

____

2. Vous avez rangé votre manteau ?

____

3. Vous avez enlevé vos chaussures ?

____

4. Vous avez regardé la télévision ?

____

2 **Répondez selon le modèle.**

Éteins la lumière !
Ça y est, je l'ai éteinte !

1. Ouvre la fenêtre ! ______________________________

2. Range tes livres ! ______________________________

3. Apprends ta poésie ! ______________________________

4. Prends tes affaires ! ______________________________

5. Appelle ta sœur ! ______________________________

6. Mets tes lunettes ! ______________________________

7. Téléphone à ton père ! ______________________________

8. Écris à ta grand-mère ! ______________________________

3 **Répondez selon le modèle.**

Tu n'habites plus à Paris ? *Non, mais j'y ai habité pendant des années.*

1. Tu ne mets plus de jeans ?

____

2. Ton fils ne fait plus de football ?

____

3. Tu ne prends plus de somnifères ?

____

4 **Répondez selon le modèle.**

Combien de fois avez-vous visité le Louvre ?
Eh bien, en réalité je ne l'ai jamais visité.

1. Combien de fois avez-vous invité les voisins ?

____

2. Combien de fois avez-vous écrit à votre tante ?

____

3. Combien de fois avez-vous mangé du caviar ?

____

PLACE des PRONOMS

- Le pronom complément se place devant le verbe conjugué.

Je **les** *ai rencontrés.* *Je ne* **les** *ai pas reconnus.*

⚠ *J'ai reconnu* ***les voisins.*** (pas d'accord) *Je* ***les*** *ai reconnus.* (accord)

IMPARFAIT

J'avais dix ans, je faisais du foot.

À cette époque-là

– Alors, quelles sont les différences que vous remarquez entre notre siècle et le XVIIIe siècle ?
– Aujourd'hui, **on s'éclaire** à l'électricité, avant **on s'éclairait** avec des bougies.
– **On se chauffe** avec des radiateurs, **on se chauffait** avec une cheminée.
– **On voyage** en voiture. Avant **on voyageait** à cheval.
– Les femmes **portent** des robes courtes. Elles **portaient** des robes longues.
– Oui, et à cette époque-là, les enfants n'**allaient** pas à l'école.

1 **Transformez selon le modèle.**
Maintenant, j'habite en France.
Avant, j'habitais en Angleterre.

1. Maintenant, je travaille en France.
______
2. Maintenant, j'ai une maison en France.
______
3. Maintenant, je parle français.
______
4. Maintenant, je lis les journaux français.
______

2 **Transformez selon le modèle.**
Maintenant, je comprends le français.
Avant, je ne comprenais pas le français.

1. Maintenant, je connais Paris.
______
2. Maintenant, je sais utiliser le métro.
______
3. Maintenant, je bois du vin rouge.
______
4. Maintenant, j'ai des amis français.
______

3 **Mettez à l'imparfait en donnant les contraires.**
Maintenant, je marche peu et je fume beaucoup. *Avant je marchais beaucoup et je fumais peu.*

1. Maintenant, je mange peu et je bois beaucoup. ______
2. Maintenant, je travaille beaucoup et je lis peu. ______
3. Maintenant, j'ai une grosse voiture et je conduis lentement. ______
4. Maintenant, je vois mal et j'entends mal. ______
5. Maintenant, je suis gros et je fais peu de sport. ______
6. Maintenant, j'ai peu d'amis et je suis pessimiste. ______

IMPARFAIT

• Il se forme sur la conjugaison de « **vous** » (ou « **nous** ») au présent + **-ais**/**-ais**, **-ait**, **-ions**, **-iez**, **-aient**.

Vous **buvez**	Je **buvais**	Vous **allez**	J'allais	⚠	• faire : je **faisais**	dire : je **disais**
Vous **prenez**	Je **prenais**	Vous **êtes**	J'étais		verbes en **-ger**	je **voyageais**

PASSÉ COMPOSÉ et IMPARFAIT

Quand je suis sorti, il pleuvait.

Fait divers

– Hier, **j'étais** dans le métro. **il y avait** beaucoup de monde. Une dame japonaise **tenait** un sac à la main et **elle écoutait** un orchestre qui jouait *Besame mucho*.
– **C'était** romantique.
– Oui, mais tout à coup, un jeune homme **a arraché** le sac de la dame et **il s'est enfui** dans le tunnel.
– Et alors ? Qu'est-ce qui **s'est passé** ?
– La dame **est partie** derrière lui. **On a entendu** un grand cri et **elle est revenue** tranquillement avec son sac sous le bras.

1 Mettez au passé selon le modèle.

Je mange. On frappe à la porte.
Je mangeais quand, tout à coup, on a frappé à la porte.

1. Je prends un bain. Le téléphone sonne.
______
2. Je dors. J'entends un cri.
______
3. Je conduis. Un pneu éclate.
______
4. Je travaille. La porte s'ouvre.
______

2 Mettez au passé selon le modèle.

Elle dort. Les voleurs entrent.
Les voleurs sont entrés pendant qu'elle dormait.

1. Je lis. Le chat mange le rôti.
______
2. On se promène. L'orage éclate.
______
3. Je dors. Ils sortent.
______
4. Il est en vacances. Il a un accident.
______

3 Répondez à l'imparfait ou au passé composé.

Où a eu lieu le vol ? *(métro)* *Le vol a eu lieu dans le métro.*
Il était quelle heure ? *(18 h)* *Il était 18 heures.*

1. Ça s'est passé où ? *(station Opéra)* ______
2. C'était quel jour ? *(samedi dernier)* ______
3. Que faisiez-vous dans le métro ? *(attendre)* ______
4. Que faisait le jeune couple ? *(s'embrasser)* ______
5. Où est parti le voleur ? *(tunnel)* ______
6. Qu'est-ce qu'il a pris ? *(sac)* ______
7. Qu'a fait la dame japonaise ? *(courir)* ______
8. Qu'est-ce que vous avez entendu ? *(cri)* ______

PASSÉ COMPOSÉ et IMPARFAIT

- L'imparfait donne les éléments du décor, le passé composé met l'accent sur les événements.
__C'était__ dans le métro. __Il y avait__ du monde. Un homme __a pris__ le sac d'une touriste et il __s'est enfui__.

PLUS-QUE-PARFAIT

Quand je suis arrivé, ils avaient déjà dîné.

Incendie

– Regarde, c'est l'imprimerie qui a brûlé cette nuit.
– Les pompiers sont arrivés trop tard ?
– Oui, quand ils sont arrivés, l'immeuble **avait déjà brûlé**. Mais ils ont protégé les autres maisons.
– Il n'y a pas de victimes ?
– Non, c'est une chance. Quand le feu a commencé, l'équipe de nuit **était déjà partie** et l'équipe de jour **n'était pas encore arrivée**.

1 **Mettez au passé selon le modèle.**

Les enfants ont déjà dîné ?
Je ne sais pas, mais quand je suis arrivé ils n'avaient pas encore dîné.

1. Le match a déjà commencé ? ______
2. La pharmacie est déjà fermée ? ______
3. L'ascenseur est déjà réparé ? ______
4. Le facteur est déjà passé ? ______
5. La secrétaire est déjà partie ? ______

2 **Faites des phrases selon le modèle.**

(travailler / mal à la tête) *Il avait mal à la tête parce qu'il avait trop travaillé.*

1. *(manger / mal au ventre)* ______
2. *(marcher / mal aux pieds)* ______
3. *(pleurer / mal aux yeux)* ______
4. *(danser / mal aux jambes)* ______

3 **Répondez selon le modèle.**

Paul a gagné 1 000 euros à la loterie ! *Le mois dernier, il avait déjà gagné 1 000.*

1. Marie a pris une semaine de congés. ______
2. Les employés ont eu une augmentation. ______
3. Les voisins ont fait une grande fête. ______
4. Bernard a rencontré l'amour de sa vie. ______

PLUS-QUE-PARFAIT

• **Formation** : **être** ou **avoir** à l'**imparfait** + **participe passé**.

*J'**avais dîné**.*	*Il **était parti**.*
*Nous **avions fini**.*	*Je m'**étais couché**.*

PASSIF

La banque a été attaquée.

Inondations

– Les pluies de la semaine dernière ont provoqué beaucoup de dégâts dans votre région, je crois.

– Oui, beaucoup de maisons **ont été inondées**, l'électricité **a été coupée**, des arbres **ont été arrachés**, des voitures **renversées**.

– Il y a eu des victimes ?

– Plusieurs personnes **ont été blessées**, mais les familles **ont été** rapidement **évacuées** et le pire **a été évité**.

1 Répondez au passif.

Qui a inventé le compact disc ? *(Philips)*
Le compact disc a été inventé par Philips.

1. Qui a découvert l'Amérique ? *(Christophe Colomb)* ____________
2. Qui a écrit *Le Petit Prince* ? *(Saint-Exupéry)*
____
3. Qui a découvert la pénicilline ? *(Fleming)*
____
4. Qui a inventé l'imprimerie ? *(Gutenberg)*
____

2 Répondez au passif.

Il faut annuler la réunion.
C'est fait : la réunion a été annulée.

1. Il faut reporter la date.
____
2. Il faut avertir les clients.
____
3. Il faut envoyer le courrier.
____
4. Il faut classer les dossiers.
____

3 Mettez au passif.

Des voleurs ont attaqué la banque. *La banque a été attaquée par des voleurs.*

1. La police a arrêté plusieurs personnes.
____
2. Des témoins ont identifié deux hommes.
____
3. Le commissaire a interrogé les suspects.
____
4. Le juge a condamné les malfaiteurs.
____

4 Mettez au passif.

On a découvert une nouvelle étoile.
Une nouvelle étoile a été découverte.

1. On a élu un nouveau maire.
____
2. On a repeint la tour Eiffel.
____
3. On a construit une nouvelle bibliothèque.
____
4. On a inauguré deux écoles maternelles.
____

PASSIF

• **Formation** être + participe passé + par.
*La télévision **a été inventée par** Baird.*

DURÉE
il y a, dans, depuis

À l'arrêt de bus

– Vous attendez le bus **depuis** longtemps ?
– Oh oui, **depuis** un bon moment. **Ça fait** bien dix minutes **que** je suis là. Mais vous attendez quel bus ?
– Le 28. D'habitude il passe toutes les cinq minutes.
– Ah le 28 ! Il est passé **il y a** une minute. Moi c'est le 37 que j'attends.
– Tiens, l'affichage électronique marche à nouveau, regardez : le 37 arrivera **dans** 2 minutes et le 28 **dans** 4 minutes.

1 **Répondez selon le modèle.**

Vous êtes là depuis longtemps ? *(10 mn)*
Je suis là depuis dix minutes.

1. Vous habitez à Paris depuis longtemps ? *(13 ans)*
____
2. Vous êtes marié depuis longtemps ? *(5 ans)*
____
3. Vous faites du piano depuis longtemps ? *(6 mois)*
____
4. Il pleut comme ça depuis longtemps ? *(1 semaine)*
____

2 **Répondez selon le modèle.**

J'attends le bus depuis 45 minutes. *(1 h)*
Moi, ça fait une heure que j'attends !

1. Je cherche un appartement depuis un an. *(2 ans)*
____
2. J'ai mal à la gorge depuis une semaine. *(1 mois)*
____
3. J'étudie le français depuis 6 mois. *(2 ans)*
____
4. Je suis marié depuis deux ans. *(20 ans)*
____

3 **Répondez selon les modèles.**

Max a commencé à travailler il y a longtemps ? *(30 ans)* *Il a commencé à travailler il y a trente ans.*
Il prendra sa retraite dans combien de temps ? *(5 ans)* *Il prendra sa retraite dans cinq ans.*

1. Le film a commencé il y a combien de temps ? *(10 mn)* _______________
2. Il finira dans combien de temps ? *(2 h)* _______________
3. Le train est arrivé il y a combien de temps ? *(20 mn)* _______________
4. Il repartira dans combien de temps ? *(1 h)* _______________
5. L'avion est parti il y a combien de temps ? *(2 h)* _______________
6. Il arrivera dans combien de temps ? *(1/2 h)* _______________

DEPUIS, IL Y A, DANS

- **Depuis** = durée qui **continue** dans le présent.
*Je suis professeur **depuis** 1980. Je suis professeur **depuis** 20 ans.*
- **Il y a** = moment dans le passé. *Je suis arrivé **il y a** six mois.*
- En début de phrase : **ça fait... que**.
***Ça fait** 20 ans **que** je suis professeur.*
- **Dans** = moment dans le futur. *Je partirai dans **deux** mois.*

DURÉE
pour, pendant, en

Auto-stop

– Vous allez à Paris, les jeunes ? Allez, montez !
– Oh merci m'sieur. **Ça fait** 3 heures **qu'**on n'a pas bougé d'ici !
– Vous allez à Paris **pour** quelques jours ?
– Ben, on y va **pour** une semaine, **pour** les vacances.
– Moi, quand j'étais jeune, j'ai fait la France en stop, **en** 3 semaines, et l'Italie, **en** 15 jours.
– Sans vous arrêter ?
– Non, je voyageais **pendant** une semaine et je m'arrêtais deux ou trois jours quand je trouvais une plage.

1 **Posez des questions avec *pour* ou *pendant* selon les modèles.**

Marie a cherché du travail longtemps. *Pendant combien de temps ?*
Elle a trouvé un travail intérimaire. *Pour combien de temps ?*

1. Elle a déjà fait une période d'essai. ____________________
2. Elle signera peut-être un nouveau contrat. ____________________
3. Elle parle bien chinois. Elle a habité à Canton. ____________________
4. Elle a étudié la philosophie chinoise. ____________________
5. Elle voudrait retourner en Chine. ____________________
6. En attendant, elle cherche un studio à louer. ____________________

2 **Répondez selon le modèle.**

Je n'ai plus dansé depuis longtemps.
Moi aussi, ça fait longtemps que je n'ai plus dansé.

1. Je n'ai plus fait d'auto-stop depuis longtemps.
____
2. Je ne suis plus allée au théâtre depuis longtemps.
____
3. Je n'ai plus fait de ski depuis longtemps.
____
4. Je n'ai plus vu Max depuis longtemps.
____

3 **Répondez selon le modèle.**

Tu as beaucoup nagé ? *(1 h / 20 longueurs)*
J'ai nagé pendant 1 h. J'ai fait 20 longueurs en 1 h.

1. Tu as beaucoup marché ? *(2 h / 10 km)*
____
2. Tu as beaucoup étudié ? *(4 h / 50 exercices)*
____
3. Tu as beaucoup voyagé ? *(3 jours / 5 000 km)*
____
4. Tu as beaucoup écrit ? *(3 mois / 200 pages)*
____

POUR, PENDANT, EN

• **Pour** = durée prévue.
*Je pars en voyage **pour** 2 mois.*

• **Pendant** = durée finie.
*J'ai voyagé **pendant** 3 jours, sans m'arrêter.*

• **En** = durée de réalisation.
*J'ai visité 5 villes **en** 3 jours.*

• On peut utiliser **depuis / Ça fait... que** + avec un passé composé négatif.
*Je n'ai plus fait de stop **depuis** des années. **Ça fait** des années **que** je n'ai plus fait de stop.*

FUTUR SIMPLE

Demain, il fera beau.

Météo

– Si on allait en Angleterre pour le week-end ? Que dit la météo ?

– Elle dit qu'**il pleuvra** et qu'**il fera** froid.

– Ah oui, 5 degrés ce n'est pas beaucoup. Et quel temps fera-t-il en Espagne ?

– **Il y aura** du soleil et **il fera** chaud. Mais c'est loin l'Espagne, pour un week-end.

– Et dans le sud de la France, **il fera** beau ?

– Oui, mais **il y aura** du vent.

1 **Répondez selon le modèle.**
Il fait froid à Paris. *Oui et d'après la météo il fera encore froid demain.*

1. Il fait chaud à Séville.
____
2. Il pleut à Londres.
____
3. Il neige à Moscou.
____
4. Il y a du vent dans le Sud.
____

2 **Répondez selon le modèle.**
Quand partirez-vous ?
Je partirai bientôt.

1. Quand reviendrez-vous ?
____
2. Quand téléphonerez-vous ?
____
3. Quand m'écrirez-vous ?
____
4. Quand nous reverrons-nous ?
____

3 **Mettez au futur.**
Le directeur <u>fait</u> une réunion à 9 heures ?
Non, il fera une réunion plus tard.

1. Le facteur <u>apporte</u> le courrier à 10 heures ?
____
2. Les employés <u>vont</u> à la cantine à midi ?
____
3. Les étudiants <u>font</u> une pause maintenant ?
____

4 **Bonnes résolutions pour l'année prochaine.**
(faire du sport) *Je ferai plus de sport.*
(manger des frites) *Je mangerai moins de frites.*

1. *(manger des légumes)* ______________________
2. *(boire du café)* ______________________
3. *(mettre de l'argent de côté)* ______________________
4. *(être ponctuel)* ______________________
5. *(lire des romans français)* ______________________
6. *(être impatient)* ______________________

FUTUR SIMPLE

- **Formation** — infinitif + **-ai, -as, -a, -ons, -ez, -ont** — Partir : *Je partir**ai*** *Tu partir**as*** *Il partir**a**...*
- **Futurs irréguliers** — être : *Je **serai*** avoir : *J'**aurai*** faire : *Je **ferai*** aller : *J'**irai*** venir : *Je **viendrai*** voir : *Je **verrai***

HYPOTHÈSE sur le FUTUR

si + présent / futur simple

Jeu télévisé

– Notre candidat a réussi toutes les épreuves jusqu'ici. **S'il gagne** la dernière partie, **il partira** avec 100 000 euros. Vous êtes prêt ?
– Je suis prêt.
– Une petite question encore : qu'est-ce que **vous ferez si vous gagnez** une telle somme ?
– **J'achèterai** une maison.
– Alors bon courage. Vous savez que **si vous perdez**, vous n'**aurez** qu'un porte-clés.
– C'est déjà un début...

1 **Faites des phrases selon le modèle.**
(chercher / trouver)
Si vous cherchez, vous trouverez.

1. *(trouver / gagner)* ______________________
2. *(gagner / revenir)* ______________________
3. *(revenir / rejouer)* ______________________
4. *(perdre / partir)* ______________________

2 **Répondez selon le modèle.**
Où iras-tu, s'il fait beau ? *(plage)*
S'il fait beau, j'irai à la plage.

1. Où iras-tu, s'il pleut ? *(cinéma)* ______________________
2. Que mangeras-tu, si tu as faim ? *(pâtes)* ______________________
3. Que mettras-tu, si tu sors ? *(mon imper)* ______________________
4. Qui appelleras-tu, si tu as un problème ? *(papa)* ______________________

3 **Répondez en utilisant une hypothèse.**
Quand vous reviendrez, vous irez à l'hôtel Sully ? *Oui, si je reviens, j'irai à l'hôtel Sully.*

1. Quand vous changerez de voiture, vous achèterez une Clio ? ______________________
2. Quand vous partirez en vacances, vous irez en Italie ? ______________________
3. Quand vous aurez votre permis, vous achèterez une voiture ? ______________________
4. Quand vous ferez une fête, vous avertirez vos voisins ? ______________________
5. Quand vous aurez une promotion, vous m'inviterez ? ______________________
6. Quand vous vous marierez, vous ferez une grande fête ? ______________________

HYPOTHÈSE sur le FUTUR

• **Quand** + futur exprime une certitude. Pour faire une hypothèse sur le futur on utilise :

si + présent	futur simple
***S'il fait** beau*	*nous **irons** à la plage.*

CONDITIONNEL PRÉSENT

politesse, conseil, désir

Au soleil

– Je **voudrais** un autre café. Et toi ?
– Moi aussi. Monsieur, s'il vous plaît, on **pourrait** avoir deux autres cafés ?
– Et est-ce que vous **pourriez** retirer ce parasol ? Ça fait trop d'ombre.
– Fais attention au soleil ! Tu **devrais** garder ton chapeau.
– Oh non, j'**aimerais** bronzer un peu. Et après, j'**irais** bien me baigner. Pas toi ?
– Moi, je **ferais** bien une sieste sous les arbres.

1 **Exprimez un désir selon le modèle.**

Je voudrais un café. Pardon ?
Est-ce que je pourrais avoir un café ?

1. Je voudrais une carafe d'eau. – Pardon ? ______________________
2. Je voudrais du sucre. – Pardon ? ______________________
3. Je voudrais un peu de lait. – Pardon ? ______________________
4. Je voudrais une autre cuillère. – Pardon ? ______________________

2 **Donnez des conseils selon le modèle.**

Tu manges trop de gâteaux.
Tu devrais en manger moins.

1. Tu ne fais pas assez de sport. ______________________
2. Tu bois trop d'alcool. ______________________
3. Tu ne vois pas assez tes amis. ______________________
4. Tu arroses trop tes fleurs. ______________________

3 **Utilisez *savoir* et *connaître*.**

(chanter) *J'aimerais savoir chanter.*
(musique) *J'aimerais connaître la musique.*

1. *(cuisiner)* ______________________
2. *(des recettes)* ______________________
3. *(naviguer)* ______________________
4. *(les îles grecques)* ______________________

4 **Exprimez un désir selon les modèles.**

(douche) *Je prendrais bien une douche !*
(piscine) *J'irais bien à la piscine !*

1. *(sieste)* ______________________
2. *(bière)* ______________________
3. *(plage)* ______________________
4. *(gâteau)* ______________________
5. *(cinéma)* ______________________

CONDITIONNEL PRÉSENT

- Expression de la politesse, des conseils, des désirs
  *Je **voudrais** voir le directeur.*
  *Vous **devriez** téléphoner.*
  *J'**irais** bien au bord de la mer.*

- **Formation** : radical du futur + terminaisons de l'imparfait

*Je **voudr-ais***	*J'**aimer-ais***
*Je **devr-ais***	*Vous **fer-iez***
*Vous **aimeri-ez***	*Vous **devri-ez***

HYPOTHÈSE sur le PRÉSENT

si + imparfait / conditionnel présent

Une autre vie

– Votre maison est magnifique ! Elle n'est pas à vendre par hasard ?

– Ah non, je suis désolé.

– Dommage. **Si elle était** à vendre, **je l'achèterais** tout de suite. C'est exactement ce que je cherche. **Si j'habitais** ici, **j'aurais** un chien, comme vous. Ah, **ce serait** une autre vie...

– Eh bien moi, **si je trouvais** un travail en ville, **je partirais** tout de suite. J'**adorerais** sortir, aller au cinéma, au restaurant. Et le week-end, **je ferais** du vélo, comme vous...

1 Faites des hypothèses selon le modèle.

Je n'ai pas d'argent. Je n'achète pas de disques. *Si j'avais de l'argent, j'achèterais des disques.*

1. Je n'ai pas encore 18 ans. Je ne vote pas.
____
2. Je n'habite pas à la campagne. Je n'ai pas de chien.
____
3. Je ne suis pas en vacances. Je ne vais pas à la mer.
____
4. Il ne fait pas beau. Je ne sors pas.
____

2 Posez des questions selon le modèle.

(chien / appeler)
Si vous aviez un chien comment l'appelleriez-vous ?

1. *(enfant / appeler)* _______________
2. *(vacances / aller)* _______________
3. *(faim / manger)* _______________
4. *(temps / faire)* _______________

3 Faites des hypothèses selon le modèle.

Les voisins ont une terrasse, mais ils n'y déjeunent jamais. *Moi, si j'avais une terrasse, j'y déjeunerais.*

1. Max a de l'argent, mais il ne voyage jamais. _______________
2. Anne a un piano, mais elle n'en joue jamais. _______________
3. J'ai un vélo, mais je ne m'en sers jamais. _______________
4. Julie a des bijoux, mais elle ne les met jamais. _______________
5. Ils ont des disques d'opéra, mais ils ne les écoutent jamais. _______________
6. Il a des chaussures en cuir, mais il ne les cire jamais. _______________

HYPOTHÈSE sur le PRÉSENT

• **Formation** | **si** + imparfait | conditionnel présent |

Aujourd'hui, il ne fait pas beau. Je ne sors pas.
***S'il faisait** beau, je **sortirais**.*

HYPOTHÈSE sur le PASSÉ

si + plus-que-parfait / conditionnel passé

Si j'avais su...

– Oh zut ! la piscine est fermée. Tu ne savais pas ?
– Ben non, **si j'avais su, je ne serais pas venue.**
– **On aurait dû** téléphoner. Tout est fermé. Même la cafétéria.
– Ouais. C'est bête, le coin est joli. **Si on avait apporté** des sandwichs, **on aurait pu** pique-niquer sous les arbres.
– Moi, j'ai apporté une banane et un gâteau, **si j'avais su j'en aurais apporté** pour toi aussi.
– Allons voir au village, **au cas où** une épicerie **serait** ouverte.

1 Transformez selon le modèle.

Je suis allé à la piscine, mais c'était fermé.
Si j'avais su, je n'y serais pas allé(e).

1. J'ai téléphoné à Paul, mais il dormait.
____
2. J'ai mangé un melon, mais il n'était pas bon.
____
3. J'ai invité des amis, mais on s'est disputés.
____
4. J'ai regardé une émission complètement idiote.
____

2 Répondez selon le modèle.

Pourquoi n'as-tu pas écrit ? *Je n'avais pas le temps, sinon j'aurais écrit.*

1. Pourquoi n'as-tu pas téléphoné ? _______________
2. Pourquoi n'as-tu pas attendu ? _______________
3. Pourquoi n'as-tu pas répondu ? _______________
4. Pourquoi n'es-tu pas revenu(e) ? _______________

3 Répondez selon le modèle.

Vous avez eu tort de ne pas prendre le train.
C'est vrai, j'aurais dû prendre le train.

1. Vous avez eu tort de ne pas partir plus tôt.
____
2. Ils ont eu tort de ne pas prendre leurs billets.
____
3. Elle a eu tort de ne pas réserver un hôtel.
____

4 Transformez selon le modèle.

Avertissez-moi s'il y a un problème. *Au cas où il y aurait un problème, avertissez-moi.*

1. Prenez un taxi, s'il y a une grève de métro.
____
2. Augmentez le chauffage, s'il fait plus froid.
____
3. Appelez-moi, si vous êtes libre.
____

HYPOTHÈSE sur le PASSÉ

• **Formation** | **si** + plus-que-parfait | conditionnel passé
*S'il **avait fait** beau,* *je **serais sorti**.*

⚠ • On dit : *Avertissez-moi **au cas où** vous viendriez.* (éventualité) ***J'aurais dû** vous avertir.* (regret)

DISCOURS INDIRECT au PASSÉ

Il m'a dit qu'il allait à la plage...

Hé les filles...

– Hé les filles, qu'est-ce que vous faites aujourd'hui ?
– C'est Jo ! Qu'est-ce qu'il a dit ?
– **Il a demandé** ce qu'**on faisait** aujourd'hui.
– J'ai loué une voiture. Je vais passer la journée à la plage.
– **Il a dit** qu'il **avait loué** une voiture et qu'il **allait passer** la journée à la plage...
– Vous voulez venir ? On rentrera ce soir.
– **Il a demandé** si **on voulait** venir. Il a dit qu'**on rentrerait** ce soir.

1 **Répondez selon le modèle.**
Le directeur est malade, on vous l'a dit ?
Oui, on m'a dit qu'il était malade.

1. L'ascenseur est en panne, on vous l'a dit ?
______
2. Il y a du couscous à la cantine, on vous l'a dit ?
______
3. On a volé le vélo du professeur, on vous l'a dit ?
______
4. La secrétaire va démissionner, on vous l'a dit ?
______

2 **Répondez selon le modèle.**
Paul partira en juin, on vous l'a dit ?
Oui, on m'a dit qu'il partirait en juin.

1. L'école fermera cet été, on vous l'a dit ?
______
2. Nous ferons une fête, on vous l'a dit ?
______
3. Il y aura un orchestre de jazz, on vous l'a dit ?
______
4. On dansera toute la nuit, on vous l'a dit ?
______

3 **Répondez selon le modèle.**
« Tout va bien ? »
Il nous a demandé si tout allait bien.

1. « Le vin est bon ? » ______
______
2. « Je peux enlever les assiettes ? » ______
______
3. « Vous prendrez du fromage ? » ______
______
4. « Vous avez bien dîné ? » ______
______

4 **Répondez selon le modèle.**
« Qu'est-ce que tu attends ? »
Elle lui a demandé ce qu'il attendait.

1. « Qu'est-ce que tu lis ? » ______
______
2. « Qu'est-ce que tu as fait samedi ? » ______
______
3. « Qu'est-ce que tu vas faire ce soir ? » ______
______
4. « Qu'est-ce que tu feras cet été ? » ______
______

DISCOURS INDIRECT au PASSÉ

présent →	imparfait	passé composé →	plus-que-parfait
futur proche →	**aller** à l'imparfait + inf.	futur simple →	conditionnel

SUBJONCTIF

Il faut que j'y aille.

Randonnée

– Nous partons tôt en balade demain matin. Vous devez préparer vos sacs ce soir.
– Oui, il faut que **nous préparions** tout avant de nous coucher.
– Ah, j'y pense : il faut que **nous regardions** la météo.
– Oh, regarde : il va peut-être pleuvoir. Il faut que **nous emportions** des k-way.
– À quelle heure faut-il partir à la gare ?
– Ben, pour y être à 7 heures, il faut que **nous partions** à 6 heures. Il faut donc **que tu mettes** le réveil à 5 heures.

1 Transformez selon le modèle.

Vous devez parler français.
Oui, il faut que nous parlions français.

1. Vous devez écouter des cassettes. ______
2. Vous devez noter du vocabulaire. ______
3. Vous devez répéter des phrases. ______
4. Vous devez regarder des films français. ______

2 Répondez selon le modèle.

Sors le chien ! *Il faut vraiment que je sorte le chien maintenant ?*

1. Fais ton lit ! ______
2. Prends une douche ! ______
3. Va chercher du pain ! ______
4. Écris à ta grand-mère ! ______

3 Transformez selon le modèle.

Que faut-il faire ? *Que faut-il que je fasse ?*

1. À quelle heure faut-il partir ? ______
2. Où faut-il aller ? ______
3. Que faut-il choisir ? ______
4. Pourquoi faut-il sortir ? ______
5. Que faut-il dire ? ______
6. Où faut-il dormir ? ______
7. Où faut-il le mettre ? ______
8. Que faut-il lui dire ? ______

SUBJONCTIF

- **Formation** Radical de la 3e pers. du pluriel du présent de l'indicatif + -e, -es, -e, -ions, -iez, -ent
- **Verbes irréguliers** être : *que je sois* avoir : *que j'aie* aller : *que j'aille* faire : *que je fasse*

SUBJONCTIF

verbes « subjectifs »

1er Mai

– Vous croyez qu'il va pleuvoir demain ?
– Je ne sais pas mais j'**aimerais** qu'il **pleuve** : il fait trop chaud. Les plantes souffrent.
– Moi, je **préférerais** qu'il **fasse** beau : mes enfants arrivent demain. Je **voudrais** qu'ils **prennent** un peu le soleil.
– C'est le week-end du 1er Mai : il y aura du monde sur les routes. Il faudra qu'ils **partent** tôt.
– Oui, j'ai hâte qu'ils **soient** là. Je suis si contente qu'ils **viennent** me voir.

1 Répondez selon le modèle.

Vous croyez qu'il fera beau ? *Je ne sais pas, mais j'aimerais qu'il fasse beau.*

1. Vous croyez que Marie viendra ?
____
2. Vous croyez que les enfants partiront ?
____
3. Vous pensez que leurs amis reviendront ?
____
4. Vous pensez que Max réussira ses examens ?
____

2 Faites des phrases selon les modèles.

(penser) *Je pense qu'il va pleuvoir.*
(vouloir) *Je voudrais qu'il pleuve.*

1. *(croire)* ______________________
2. *(souhaiter)* ______________________
3. *(constater)* ______________________
4. *(désirer)* ______________________
5. *(supposer)* ______________________
6. *(détester)* ______________________
7. *(avoir envie)* ______________________
8. *(attendre)* ______________________

3 Transformez selon le modèle.

Elle ne vient pas avec nous.
Je voudrais qu'elle vienne.

1. Tu ne dis pas ce que tu penses.
____
2. Il ne comprend pas ce qui se passe.
____
3. Il ne connaît pas la vérité.
____
4. Ils ne savent pas où nous sommes.
____

4 Transformez selon le modèle.

Quand il est là, je suis contente.
Je suis contente qu'il soit là.

1. Quand il part, je suis triste.
____
2. Quand il revient, je suis heureuse.
____
3. Quand il m'écrit, je suis ravie.
____
4. Quand il est sur la route, je suis inquiète.
____

INDICATIF / SUBJONCTIF

- Indépendance affective : **indicatif**
  Je pense / Je crois qu'il ***viendra****.*
- Dépendance affective : **subjonctif**
  J'aimerais / Je souhaite qu'il ***vienne****.*

RELATIONS LOGIQUES : la cause

comme, parce que, puisque

Hold-up

– Pourquoi est-ce que la rue est barrée ?
– C'est **parce que** la banque a été attaquée. **Comme** ça vient d'arriver, tout est encore bloqué.
– Les voleurs ont été arrêtés ?
– Non : la police est arrivée en retard **à cause** de la circulation et les voleurs ont réussi à s'échapper **grâce à** des complices.
– C'est peut-être la bande à Ferdinand ?
– Non, ça ne peut pas être lui, **puisqu'**il est déjà en prison.

1 Répondez selon le modèle.

Pourquoi tu n'as pas ta moto ? *(panne)*
Je n'ai pas ma moto parce qu'elle est en panne.

1. Pourquoi le directeur est-il absent ? *(voyage)* ______
2. Pourquoi les employés ne sont-ils pas là ? *(grève)* ______
3. Pourquoi le musée est-il fermé ? *(travaux)* ______
4. Pourquoi les enfants dorment-ils encore ? *(vacances)* ______

2 Transformez selon le modèle.

Je rentre à pied : ma moto est en panne.
Comme ma moto est en panne, je rentre à pied.

1. Les réunions sont annulées : le directeur est en voyage. ______
2. Je reste à la maison : il fait froid. ______
3. La route est barrée : il y a des travaux. ______
4. Les enfants se lèvent tard : ils sont en vacances. ______

3 Transformez selon le modèle.

Personne ne m'écoute. Je m'en vais.
Puisque personne ne m'écoute, je m'en vais !

1. Tu sors. Achète du pain ! ______
2. Il pleut. Rentrons à la maison. ______
3. Tu ne m'aimes plus. Va-t-en ! ______
4. C'est dimanche. On peut se lever tard ! ______

4 Faites des phrases selon les modèles.

J'ai raté. *C'est à cause de toi que j'ai raté.*
J'ai réussi. *C'est grâce à toi que j'ai réussi.*

1. J'ai mal travaillé. ______
2. J'ai fait des progrès. ______
3. J'ai trouvé un appartement. ______
4. Je suis arrivé en retard. ______

LA CAUSE

• **Parce que** introduit une cause	*Le match a été annulé, **parce qu'**il pleuvait.*
• **Comme** place la cause en début de phrase	***Comme** il pleuvait, le match a été annulé.*
• **Puisque** introduit une cause évidente.	*Pars **puisque** tu ne m'aimes plus.*
• **Grâce à** = cause positive.	*J'ai réussi **grâce à** toi.*
• **À cause de** = cause négative	*J'ai raté **à cause de** toi.*

RELATIONS LOGIQUES : la concession

même si, malgré, pourtant...

Sur la place

– Je suis fatiguée ce matin, **pourtant** j'ai dormi 8 heures. En plus j'ai la migraine.
– Tiens : qu'est-ce que c'est, cette musique ?
– C'est un orchestre de rue ! Les gens dansent sur la place. J'adore ça ! Viens, on va danser.
– **Malgré** ta migraine et **malgré** ta fatigue ?
– Quand j'entends cette musique je dois danser, **même si** je suis à moitié morte !
– Mais il est tard, on n'a pas fait les courses, ni la cuisine.
– Ça ne fait rien, moi, j'y vais **quand même** !

1 **Répondez selon le modèle.**

Vous sortez même s'il pleut ?

Oui, nous sortons malgré la pluie.

1. Le bébé dort même s'il y a du bruit ?
____
2. Tu travailles même si tu as la migraine ?
____
3. Tu pars en week-end même s'il fait froid ?
____
4. Lou est adorable, même si elle a des défauts...
____

2 **Transformez selon le modèle.**

Le chauffage marche. *(froid)*

Le chauffage marche, pourtant j'ai froid.

1. J'ai mangé un gros plat de pâtes. *(faim)*
____
2. J'ai bu un litre d'eau. *(soif)*
____
3. J'ai dormi 9 heures. *(sommeil)*
____
4. Je n'ai pas beaucoup marché. *(mal aux pieds)*
____

3 **Répondez selon le modèle.**

Tu as sommeil : tu ne dors pas assez.

J'ai sommeil, pourtant je dors beaucoup.

1. Ton fils est maigre : il ne mange pas assez.
____
2. Tes fleurs sont sèches : tu ne les arroses pas assez.
____
3. Ta fille s'ennuie : elle ne sort pas assez...
____
4. Tu fais des fautes : tu ne travailles pas assez.
____

4 **Renforcez la phrase selon le modèle.**

Max a peu d'argent, mais il sort beaucoup.

Il a peu d'argent, mais il sort quand même !

1. Léa a la grippe, mais elle travaille.
____
2. Tu as la migraine, mais tu vas danser.
____
3. Paul a un grand nez, mais il est très beau.
____
4. Tu as tout ce que tu veux, mais tu te plains.
____

LA CONCESSION

• **même si** + verbe	*Il fait froid **même s'il** y a du soleil.*
• **malgré** + nom	*Il fait froid **malgré** le soleil.*
• **pourtant** renforce la concession.	*Il fait froid, **pourtant** le chauffage est au maximum.*
• **quand même** = malgré tout	*Il fait froid, mais je sors **quand même**.*

CORRIGÉS

Page 6

1 1. Je suis de Berlin. – 2. Actuellement, je suis à Nice. – 3. Je suis d'Athènes. – 4. Actuellement, je suis à Londres. – 5. Je suis de Londres. – 6. Actuellement, je suis à Paris.

2 1. Le matin, je suis à l'école. – 2. À midi, je suis au restaurant. – 3. Le soir, je suis chez moi. – 4. Le dimanche, je suis chez mes parents.

3 1. Oui, je suis à Londres pour travailler. – 2. Oui, je suis à Paris pour faire du tourisme. – 3. Oui, je suis à Versailles pour voir le château. – 4. Oui, je suis à l'école pour apprendre le français.

Page 7

1 1. Ils sont au café. – 2. Il est au restaurant. – 3. Ils sont à l'école. – 4. Il est au parking.

2 1. Oui, on est en avance. – 2. Oui, on est vendredi. – 3. Oui, on est le 3 octobre. – 4. Oui, on est à l'heure.

3 1. Oui, il est au deuxième étage. Ils sont aussi au deuxième étage. – 2. Oui, elle est au troisième étage. Il est aussi au troisième étage.– 3. Oui, elle est au rez-de-chaussée. Elles sont aussi au rez-de-chaussée.

Page 8

1 1. Homme brun cherche femme brune. – 2. Homme intelligent cherche femme intelligente. – 3. Homme sentimental cherche femme sentimentale. – 4. Homme sportif cherche femme sportive. – 5. Homme marié cherche femme mariée.

2 1. Sa femme est encore plus intelligente. – 2. Sa femme est encore plus sympathique. – 3. Sa femme est encore plus sérieuse. – 4. Sa femme est encore plus gentille. – 5. Sa femme est encore plus belle.

3 1. Oui, elle est très chaude. – 2. Oui, il est très chaud. – 3. Oui, il est très bon. – 4. Oui, elle est très bonne. – 5. Oui, elle est très lourde.

4 1. Non, il est froid. – 2. Non, elle est chaude. – 3. Non, elle est lourde. – 4. Non, il est ouvert. – 5. Non, elle est fermée. – 6. Non, il est facile.

Page 9

1 1. Le dimanche, ils ne sont pas ouverts. – 2. L'après-midi, elle n'est pas à l'école. – 3. Le soir, je ne suis pas au bureau. – 4. En hiver, nous ne sommes pas en vacances. – 5. Le dimanche, ils ne sont pas fermés. – 6. En été, ils ne sont pas très courts.

2 1. Non, je ne suis pas professeur. – 2. Non, je ne suis pas en vacances. – 3. Non, nous ne sommes pas en juillet. – 4. Non, on n'est pas mardi. – 5. Non, on n'est pas en hiver.

3 1. Moi aussi. – 2. Moi aussi. – 3. Moi non plus. – 4. Moi aussi. – 5. Moi non plus.

Page 10

1 1. Oui, mais malheureusement le réfrigérateur est en panne. – 2. Oui, mais malheureusement l'ascenseur est en panne. – 3. Oui, mais malheureusement la télévision est en panne. – 4. Oui, mais malheureusement l'ordinateur est en panne.

2 1. Oui, le steak, c'est pour madame et la salade, c'est pour moi. – 2. Oui, la pizza c'est pour madame et les saucisses, c'est pour moi. – 3. Oui, les fruits c'est pour madame et le yaourt, c'est pour moi. – 4. Oui, le whisky c'est pour madame et la tisane, c'est pour moi.

3 1. Mets un pull. Mets le pull noir. – 2. Mets un manteau. Mets le manteau noir. – 3. Mets des gants. Mets les gants noirs. – 4. Mets des chaussures. Mets les chaussures noires. – 5. Mets des bottes. Mets les bottes noires.

4 1. La France est un beau pays. – 2. Le français est une belle langue. – 3. L'automne est une belle saison. – 4. La Jaguar est une belle voiture. – 5. Le bleu est une belle couleur.

Page 11

1 1. Vous habitez à côté du marché ? – 2. Vous habitez à côté de la poste ? – 3. Vous habitez à côté de l'hôpital ? – 4. Vous habitez à côté de la piscine ? – 5. Vous habitez à côté du square ? – 6. Vous habitez à côté de la banque ? – 7. Vous habitez à côté du musée ? – 8. Vous habitez à côté du stade ?

2 1. Oh non, ça dépend des jours. – 2. Oh non, ça dépend du temps. – 3. Oh non, ça dépend des réunions. – 4. Oh non, ça dépend des années.

3 1. On prend le train à la gare. – 2. On prend l'avion à l'aéroport. – 3. On apprend à lire à l'école. – 4. On retire son visa au consulat.

4 1. Je vais au théâtre ce soir, vous voulez venir ? – 2. Je vais à l'Opéra ce soir, vous voulez venir ? – 3. Je vais au restaurant ce soir, vous voulez venir ? – 4. Je vais aux Champs-Élysées ce soir, vous voulez venir ?

Page 12

1 1. Qui est-ce ? – 2. Qu'est-ce que c'est ? – 3. Qu'est-ce que c'est ? – 4. Qui est-ce ? – 5. Qu'est-ce que c'est ? – 6. Qui est-ce ? – 7. Qui est-ce ? – 8. Qu'est-ce que c'est ?

2 1. C'est ton cousin ? Il est sympathique ! – 2. C'est ta mère ? Elle est sympathique ! – 3. C'est ton professeur ? Il est sympathique ! – 4. C'est ta voisine ? Elle est sympathique !

3 1. C'est l'interphone ! Oui, il est vraiment bizarre ! – 2. C'est l'aspirateur ! Oui, il est vraiment bruyant ! – 3. C'est un moustique ! Oui, il est vraiment énorme !

Page 13

1 1. Oui, il est dessinateur. C'est un dessinateur très connu. – 2. Oui, elle est actrice. C'est une actrice très connue. – 3. Oui, elle est journaliste. C'est une journaliste très connue. – 4. Oui, il est architecte. C'est un architecte très connu. – 5. Oui, elle est cinéaste. C'est une cinéaste très connue. – 6. Oui, il est physicien. C'est un physicien très connu.

2 1. Oui et c'est un bon médecin. – 2. Oui et c'est une bonne directrice. – 3. Oui et c'est une bonne secrétaire. – 4. Oui et c'est un bon professeur.

3 1. Oui, c'est beau ! – 2. Oui, c'est fort ! – 3. Oui, c'est chaud ! – 4. Oui, c'est grand !

Page 14

1 1. Mon agenda ? Il est dans mon sac. – 2. Ma montre ? Elle est dans mon sac. – 3. Ma brosse à dents ? Elle est dans mon sac. – 4. Mon écharpe ? Elle est dans mon sac. – 5. Mes clés ? Elles sont dans mon sac.

2 1. Il dit que sa baby-sitter est en retard. – 2. Il dit que ses enfants sont malades. – 3. Il dit que son ordinateur est en panne. – 4. Il dit que son entreprise est en difficulté. – 5. Il dit que son analyste est en congé.

3 1. Ils ont perdu leurs montres et leurs clés. – 2. Ils ont perdu leurs écharpes et leurs clés. – 3. Ils ont perdu leurs cartes d'identité et leurs clés. – 4. Ils ont perdu leurs parapluies et leurs clés. – 5. Ils ont perdu leurs lunettes et leurs clés. – 6. Ils ont perdu leurs gants et leurs clés.

4 **1.** Oui et il se coupe les ongles tout seul. – **2.** Oui et il se brosse les dents tout seul. – **3.** Oui et il se lave les cheveux tout seul.

Page 15

1 **1.** Je ne sais pas si c'est le tien ou le mien. – **2.** Je ne sais pas si c'est la tienne ou la mienne. – **3.** Je ne sais pas si c'est le tien ou le mien. – **4.** Je ne sais pas si ce sont les tiens ou les miens. – **5.** Je ne sais pas si ce sont les tiennes ou les miennes.

2 **1.** Oui, je crois que c'est le sien. – **2.** Oui, je crois que c'est la sienne. – **3.** Oui, je crois que c'est la sienne. – **4.** Oui, je crois que ce sont les siennes. – **5.** Oui, je crois que ce sont les siens.

3 **1.** J'ai réservé ma place. Et vous, avez-vous réservé la vôtre ? – **2.** J'ai emporté mon ordinateur. Et lui, a-t-il emporté le sien ? – **3.** J'ai enregistré mes valises. Et elle, a-t-elle enregistré les siennes ? – **4.** J'ai expédié mes lettres. Et eux, ont-ils expédié les leurs ? – **5.** J'ai terminé mes exercices. Et vous, avez-vous terminé les vôtres ? – **6.** J'ai rendu mes livres. Et eux, ont-ils rendu les leurs ?

Page 16

1 **1.** Regarde ce village : il est merveilleux. – **2.** Regarde cette maison : elle est merveilleuse. – **3.** Regarde cette fleur : elle est merveilleuse. – **4.** Regarde ce jardin : il est merveilleux. – **5.** Regarde cet oiseau : il est merveilleux. – **6.** Regarde cet arbre : il est merveilleux.

2 **1.** Qui a cassé cette tasse ? C'est toi ? – **2.** Qui a cassé ce verre ? C'est toi ? – **3.** Qui a cassé cette lampe ? C'est toi ? – **4.** Qui a cassé ce vase ? C'est toi ? – **5.** Qui a cassé ce stylo ? C'est toi ? – **6.** Qui a cassé cet appareil photo ? C'est toi ?

3 **1.** Prenez cette mangue. Elle est délicieuse. – **2.** Prenez ces raisins. Ils sont délicieux. – **3.** Prenez ce pamplemousse. Il est délicieux. – **4.** Prenez cet ananas. Il est délicieux. – **5.** Prenez ces poires. Elles sont délicieuses. – **6.** Prenez ces oranges. Elles sont délicieuses.

Page 17

1 **1.** Celle-là : celle qui est en vitrine. – **2.** Celui-là : celui qui est en vitrine. – **3.** Celles-là : celles qui sont en vitrine. – **4.** Ceux-là : ceux qui sont en vitrine.

2 **1.** Moi, je préfère celle que tu portes.– **2.** Moi, je préfère celui que tu portes. – **3.** Moi, je préfère ceux que tu portes. – **4.** Moi, je préfère celles que tu portes.

3 **1.** Celui-là ? Non, ce n'est pas le mien. C'est celui de ma fille. – **2.** Celle-là ? Non, ce n'est pas la mienne. C'est celle de ma fille. – **3.** Celui-là ? Non, ce n'est pas le mien. C'est celui de ma fille. – **4.** Celles-là ? Non, ce ne sont pas les miennes. Ce sont celles de ma fille. – **5.** Ceux-là ? Non, ce ne sont pas les miens. Ce sont ceux de ma fille. – **6.** Celles-là ? Non, ce ne sont pas les miennes. Ce sont celles de ma fille.

Page 18

1 **1.** Elle est sur le feu. – **2.** Elle est sous l'évier. – **3.** Ils sont dans le tiroir. – **4.** Elles sont sous le canapé.

2 **1.** Il y a beaucoup de monde dans la rue. Qu'est-ce qui se passe ? – **2.** Il y a beaucoup de monde sur la place. Qu'est-ce qui se passe ? – **3.** Il y a beaucoup de monde dans le métro. Qu'est-ce qui se passe ? – **4.** Il y a beaucoup de monde sur la plage. Qu'est-ce qui se passe ? – **5.** Il y a beaucoup de monde sur le trottoir. Qu'est-ce qui se passe ? – **6.** Il y a beaucoup de monde dans le bus. Qu'est-ce qui se passe ? – **7.** Il y a beaucoup de monde dans l'avion. Qu'est-ce qui se passe ?

3 **1.** Il n'y a pas de supermarché, il y a juste une épicerie. – **2.** Il n'y a pas de station de métro, il y a juste un arrêt de bus. – **3.** Il n'y a pas de banque, il y a juste un distributeur. – **4.** Il n'y a pas de jardin, il y a juste un square. – **5.** Il n'y a pas de librairie, il y a juste une papeterie.

Page 19

1 **1.** À Nice et à Paris. – **2.** À Londres et à Paris. – **3.** À Moscou et à Paris. – **4.** À La Havane et à Paris. – **5.** Au Caire et à Paris.

2 **1.** Il est français mais il n'habite pas en France. – **2.** Il est norvégien mais il n'habite pas en Norvège. – **3.** Il est brésilien mais il n'habite pas au Brésil. – **4.** Il est italien mais il n'habite pas en Italie. – **5.** Il est portugais mais il n'habite pas au Portugal.

3 **1.** Dans un tramway, en Belgique. – **2.** Dans un bus, au Guatemala. – **3.** Sur une terrasse aux Antilles. – **4.** Sous des palmiers, au Maroc. – **5.** Dans un taxi, en Équateur. – **6.** Dans une cabine téléphonique, en Iran.

Page 20

1 **1.** J'ai un petit salon. – **2.** J'ai une petite cuisine. – **3.** J'ai un petit ascenseur. – **4.** J'ai des voisins bruyants. – **5.** J'ai des meubles modernes.

2 **1.** Elle est très amusante et elle a beaucoup d'amis. – **2.** Ils sont très généreux et ils ont beaucoup d'amis. – **3.** Tu es très tolérante et tu as beaucoup d'amis. – **4.** Vous êtes très riche et vous avez beaucoup d'amis.

3 **1.** Elle n'a pas de voiture. – **2.** Elle a une moto. – **3.** Elle n'a pas de garage. – **4.** Elle a un balcon. – **5.** Elle n'a pas d'ordinateur. – **6.** Elle n'a pas de magnétoscope. – **7.** Elle a un portable. – **8.** Elle n'a pas de poissons rouges.

Page 21

1 **1.** Oh oui, j'ai très soif ! Pas vous ? – **2.** Oh oui, j'ai très faim ! Pas vous ? – **3.** Oh oui, j'ai très mal aux pieds ! Pas vous ? – **4.** Oh oui, j'ai très peur des serpents ! Pas vous ?

2 **1.** Moi aussi, j'ai vraiment envie d'une glace ! – **2.** Moi aussi, j'ai vraiment besoin d'une pause ! **3.** Moi aussi, j'ai vraiment envie d'aller au cinéma. – **4.** Moi aussi, j'ai vraiment besoin de dormir !

3 **1.** Ils ont mal au dos parce qu'ils sont fatigués. – **2.** Ils ont mal à la tête parce qu'ils sont enrhumés. – **3.** Ils sont énervés parce qu'ils ont sommeil. – **4.** Ils sont nerveux parce qu'ils ont un examen. – **5.** Ils sont pressés parce qu'ils ont un rendez-vous. – **6.** Ils sont contents parce qu'ils ont 7 ans aujourd'hui.

Page 22

1 **1.** Elle a un visage ovale et un petit nez. – **2.** Elle a un visage rond et un petit nez. – **3.** Elle a un visage allongé et un petit nez. – **4.** Elle a un visage joufflu et un petit nez.

2 **1.** Je cherche une grande table. – **2.** Je cherche une table moderne. – **3.** Je cherche une table rectangulaire. – **4.** Je cherche une vielle table. – **5.** Je cherche une table carrée. – **6.** Je cherche une belle table. – **7.** Je cherche une table ancienne. – **8.** Je cherche une jolie table.

3 **1.** Oh oui, quel bel homme ! – **2.** Oh oui, quel bel oiseau ! – **3.** Oh oui, quel bel acteur ! – **4.** Oh oui, quel bel enfant !

4 **1.** Paul aime les petites villes. – **2.** Paul aime les gros chiens. – **3.** Paul aime les petits oreillers. – **4.** Paul lit toujours de mauvais livres.

Page 23

1 **1.** Oui, sauf ses deux derniers romans. – **2.** Oui, sauf ses deux derniers disques. – **3.** Oui, sauf ses deux derniers livres. – **4.** Oui, sauf ses deux derniers spectacles.

2 **1.** Non, toutes les deux semaines. – **2.** Non, tous les deux mois. – **3.** Non, tous les deux jours. – **4.** Non, tous les deux mois.

3 **1.** Il a perdu toutes ses affaires ! – **2.** Il a recopié tout son agenda ! – **3.** Il a vendu tous ses disques ! – **4.** Il a repeint toute sa chambre !

4 **1.** Oui, ils sont tous complets. – **2.** Oui, elles sont toutes occupées. – **3.** Oui, ils sont tous corrigés. – **4.** Oui, ils sont tous terminés.

Page 24

1 **1.** Je parle lentement. – **2.** J'habite en banlieue. – **3.** J'étudie avec un professeur. – **4.** Je dîne après huit heures. – **5.** Je rentre chez moi tard.

2 **1.** Oui, ils mangent beaucoup de pain. – **2.** Oui, ils adorent parler. – **3.** Oui, ils pratiquent peu de sport. – **4.** Oui, ils discutent beaucoup de politique. – **5.** Oui, ils critiquent tout.

3 **1.** Nous écoutons un disque. – **2.** Nous mangeons un sandwich. – **3.** Nous regardons la télévision. – **4.** Nous écoutons la radio. – **5.** Nous mangeons une pomme.

4 **1.** Je chante faux. – **2.** Je rêve beaucoup. – **3.** Je pleure rarement. – **4.** Je dessine mal. – **5.** Je parle doucement.

Page 25

1 **1.** J'enlève Vous enlevez. – **2.** Je préfère Vous préférez. – **3.** J'espère Vous espérez. – **4.** J'appelle Vous appelez. – **5.** Je paie Vous payez. – **6.** Je balaie Vous balayez. – **7.** J'essaie Vous essayez.

2 **1.** Qu'est-ce que tu jettes ? – **2.** Qu'est-ce que tu feuillettes ? – **3.** Qu'est-ce que tu pèses ? – **4.** Qu'est-ce que tu congèles ? – **5.** Qu'est-ce que tu nettoies ? – **6.** Qu'est-ce que tu essuies ? – **7.** Qu'est-ce que tu envoies ?

3 **1.** Oui, quand j'achète un pull, je regarde la marque. – **2.** Oui, quand je rentre chez moi, j'enlève mes chaussures. – **3.** Oui, quand je range mon bureau, je jette des papiers. – **4.** Oui, quand je cherche une adresse, j'appelle le 12. – **5.** Oui, quand je règle des factures, je paie par chèque. – **6.** Oui, quand j'offre un cadeau, j'enlève l'étiquette.

Page 26

1 **1.** Je me douche le soir. – **2.** Je m'habille après le petit déjeuner. – **3.** Je me prépare lentement. – **4.** Je me couche après minuit.

2 **1.** À quelle heure vous levez-vous ? – **2.** Où vous promenez-vous ? – **3.** À quelle heure vous couchez-vous ? – **4.** Pourquoi vous dépêchez-vous ?

3 **1.** Oui, le lundi, nous nous levons tôt. – **2.** Oui, le dimanche, nous nous promenons. – **3.** Oui, en vacances, nous nous reposons. – **4.** Oui, le dimanche, nous nous couchons tôt.

4 **1.** Oui, quand je me lève, il est environ 7 h 05. – **2.** Oui, quand je me douche, il est environ 7 h 30. – **3.** Oui, quand je m'habille, il est environ 8 h. – **4.** Oui, quand je me couche, il est environ minuit.

Page 27

1 **1.** Quand des collègues se rencontrent, ils se serrent la main. – **2.** Quand des voisins se saluent, ils se regardent. – **3.** Quand des adolescents se téléphonent, ils se parlent pendant des heures. – **4.** Quand des amoureux se fâchent, ils se réconcilient vite. – **5.** Quand des chiens se rencontrent, ils se reniflent.

2 **1.** Ils se rencontrent mais ils ne se saluent jamais. – **2.** Ils se regardent mais ils ne se parlent jamais. – **3.** Ils se serrent la main mais ils ne s'embrassent jamais. – **4.** Ils s'aiment bien mais ils ne se téléphonent jamais.

3 **1.** Ah, non, je ne me parfume pas tous les jours ! – **2.** Ah, non, elle ne se maquille pas beaucoup ! – **3.** Ah, non, il ne s'énerve pas souvent ! – **4.** Ah, non, je ne m'ennuie pas le dimanche !

Page 28

1 **1.** Pour acheter du pain. – **2.** Pour acheter de la viande. – **3.** Pour acheter du poisson. – **4.** Pour acheter des médicaments.

2 **1.** Oui, buvez de l'eau ! – **2.** Oui, mangez du pain ! – **3.** Oui, faites du sport ! – **4.** Oui, mangez des fruits !

3 **1.** Je me lave les mains avec du savon. – **2.** Je me lave les dents avec du dentifrice. – **3.** Je me lave le visage avec de la crème. – **4.** Je me lave les cheveux avec du shampoing.

Page 29

1 **1.** Dans le Nord, il y a du vent. – **2.** Dans l'Est, il y a du brouillard. – **3.** Dans l'Ouest, il y a des orages. – **4.** Dans le Sud, il y a du soleil.

2 **1.** C'est avec du sable qu'on produit du verre. – **2.** C'est avec du pétrole qu'on produit du polyester. – **3.** C'est avec de l'uranium qu'on produit de l'énergie nucléaire. – **4.** C'est avec du malt qu'on produit du whisky.

3 **1.** Pour faire du sport il faut de l'énergie. – **2.** Pour faire des affaires il faut de l'argent. – **3.** Pour faire de la peinture il faut de l'imagination. – **4.** Pour faire du feu il faut du papier.

4 **1.** Oui, il a de l'argent. – **2.** Oui, il a de la fièvre. – **3.** Oui, il a du talent. – **4.** Oui, il a de l'énergie.

Page 30

1 **1.** Oui, j'ai beaucoup de travail. – **2.** Oui, j'ai un peu d'argent de côté. – **3.** Oui, j'ai fait un peu de progrès. – **4.** Oui, il a beaucoup de patience.

2 **1.** Oui, un kilo de farine. – **2.** Oui, un litre de lait. – **3.** Oui, dix litres d'essence. – **4.** Oui, 250 g de beurre.

3 **1.** Achète de l'eau. Une bouteille d'eau, ça suffira ? – **2.** Achète des petits pois. Une boîte de petits pois, ça suffira ? – **3.** Achète du lait. Un litre de lait, ça suffira ? – **4.** Achète des fraises. Une barquette de fraises, ça suffira ?

4 **1.** Non, il n'y a plus de vin. – **2.** Non, il n'y a plus de frites. – **3.** Non, il n'y a plus d'essence. – **4.** Non, il n'y a plus de fraises.

Page 31

1 **1.** Oui, j'en achète tous les jours. – **2.** Oui, j'en mange tous les vendredis. – **3.** Oui, j'en fais tous les soirs. – **4.** Oui, j'en fais tous les dimanches.

2 **1.** Non, ils en ont trois. – **2.** Non, ils en ont deux. – **3.** Non, elle en a quatre. – **4.** Non, j'en ai trois.

3 **1.** Oui, j'en reçois plusieurs. – **2.** Oui, j'en fais un peu. – **3.** Oui, j'en bois beaucoup. – **4.** Oui, j'en ai assez.

4 **1.** Oui, il y en a encore une bouteille. – **2.** Oui, il y en a encore quelques-uns. – **3.** Oui, il y en a encore un peu. – **4.** Oui, il y en a encore un demi-litre.

Page 32

1 **1.** En janvier, il fait encore plus froid. – **2.** Miss Univers est encore plus belle. – **3.** Le Canada, c'est encore plus grand. – **4.** Le grec, c'est encore plus difficile.

2 **1.** Non, Max est nettement moins vieux. – **2.** Non, Max est nettement moins gros. – **3.** Non, Max est nettement moins intelligent. – **4.** Non, Max est nettement moins riche.

3 **1.** Ne travaille pas aussi tard. – **2.** Ne parle pas aussi fort. – **3.** N'achète pas autant de bonbons. – **4.** Ne dépense pas autant d'argent. – **5.** Ne bois pas autant de café. – **6.** Ne fais pas autant de bruit. – **7.** N'écris pas aussi mal. – **8.** Ne mange pas aussi vite.

Page 33

1 **1.** C'est bon ! Très bon même ! – **2.** C'est bien ! Très bien même ! – **3.** C'est bon ! Très bon même ! – **4.** C'est bien ! Très bien même ! – **5.** C'est bien ! Très bien même !

2 **1.** Oui, les mandarines, c'est bien meilleur. – **2.** Oui, le riz au curry, c'est bien meilleur. – **3.** Oui, le lait frais, c'est bien meilleur.

3 **1.** Oui, mais dormir 8 heures, c'est beaucoup mieux. – **2.** Oui, mais faire de la gym tous les jours, c'est beaucoup mieux. – **3.** Oui, mais travailler avec un professeur, c'est beaucoup mieux.

Page 34

1 **1.** J'y vais en voiture. – **2.** J'y reste jusqu'à 20 h. – **3.** J'y vais avec un ami. – **4.** J'y habite depuis un an.

2 **1.** On y mange. – **2.** On y danse. – **3.** On y nage. – **4.** On y dort.

3 **1.** Nous y allons aussi jeudi prochain. – **2.** Ils y vont aussi en juin. – **3.** Elle y va aussi en train. – **4.** On y va aussi vers huit heures.

4 **1.** J'y reste jusqu'à midi. – **2.** J'y vais en bus. – **3.** J'y travaille le jeudi. – **4.** J'y vais le week-end.

Page 35

1 **1.** Moi, par contre, j'y pense. – **2.** Moi, par contre, je m'y intéresse. – **3.** Moi, par contre, j'y participe. – **4.** Moi, par contre, j'y crois.

2 **1.** Oui, j'en suis content. – **2.** Oui, j'en ai besoin. – **3.** Oui, j'en ai peur. – **4.** Oui, je m'en souviens.

3 **1.** Oui, il en arrive à l'instant. – **2.** Oui, il en sort à l'instant. – **3.** Oui, il en part à l'instant. – **4.** Oui, il en revient à l'instant.

4 **1.** Je n'y resterai pas. – **2.** Je n'en sortirai pas. – **3.** Je n'en partirai pas. – **4.** Je n'y entrerai pas.

Page 36

1 **1.** Oui, je grossis en hiver. – **2.** Oui, je maigris en été. – **3.** Oui, j'applaudis à la fin d'un spectacle. – **4.** Oui, je ralentis au feu orange.

2 **1.** C'est vrai, elles jaunissent. – **2.** C'est vrai, ils grandissent. – **3.** C'est vrai, ils blanchissent. – **4.** C'est vrai, ils grossissent.

3 **1.** Non, je sors avec mon chien. – **2.** Non, je pars avec mon chien. – **3.** Non, je suis des cours de yoga avec mon chien. – **4.** Non, je dors avec mon chien.

4 **1.** Oui, je vends mon appartement, moi aussi. – **2.** Oui, j'entends le bruit de la rue, moi aussi. – **3.** Oui, je mets des petites annonces, moi aussi. – **4.** Oui, j'attends beaucoup de visites, moi aussi.

Page 37

1 **1.** Quand elles attendent le métro, elles lisent les affiches. – **2.** Quand elles conduisent, elles mettent la ceinture. – **3.** Quand elles écrivent, elles relisent leur texte. – **4.** Quand elles sortent, elles éteignent la lumière.

2 **1.** Ils perdent. – **2.** Ils partent. – **3.** Ils descendent. – **4.** Ils vendent. – **5.** Ils éteignent. – **6.** Ils ralentissent. – **7.** Ils grossissent. – **8.** Ils construisent.

3 **1.** Je ne sais pas ce qu'elles font. – **2.** Je ne sais pas où elles vont. – **3.** Je ne sais pas ce qu'elles ont. – **4.** Je ne sais pas si elles sont là.

Page 38

1 **1.** Ils viennent en voiture. – **2.** Ils se souviennent de vous. – **3.** Ils prennent un bain. – **4.** Ils apprennent le russe. – **5.** Ils comprennent le russe. – **6.** Ils boivent un café. – **7.** Ils reçoivent un message. – **8.** Ils veulent une bière. – **9.** Ils prennent le train. – **10.** Ils reviennent de Londres.

2 **1.** Je ne comprends pas le français mais mes enfants le comprennent. – **2.** Je ne veux pas de chips mais mes enfants en veulent. – **3.** Je ne bois pas de coca mais mes enfants en boivent. – **4.** Je ne reçois pas de SMS mais mes enfants en reçoivent.

3 **1.** Elles ne comprennent pas ce qu'ils écrivent. – **2.** Elles ne savent pas ce qu'elles veulent. – **3.** Elles ne répondent pas à ce qu'ils disent. – **4.** Elles ne font pas tout ce qu'ils veulent.

Page 39

1 **1.** Non, on ne peut pas soulever trois cents kilos. – **2.** Oui, on peut soulever vingt kilos. – **3.** Non, on ne peut pas voter sans papiers d'identité. – **4.** Oui, on peut voter par correspondance. – **5.** Oui, on peut traverser la Manche en train. – **6.** Non, on ne peut pas traverser l'Atlantique en train.

2 **1.** On ne doit pas entrer. – **2.** On doit sonner avant d'entrer. – **3.** On doit porter un casque. – **4.** On ne doit pas tourner à droite.

3 **1.** Non, il ne peut pas, il doit aller chez le dentiste. – **2.** Non, ils ne peuvent pas, ils doivent aller chez le dentiste. – **3.** Non, nous ne pouvons pas, nous devons aller chez le dentiste. – **4.** Non, elles ne peuvent pas, elles doivent aller chez le dentiste.

Page 40

1 **1.** Je le range dans le placard. – **2.** Je la gare dans le garage. – **3.** Je le mets dans le panier. – **4.** Je les jette dans la poubelle jaune.

2 **1.** Oui, je le connais par cœur. – **2.** Oui, je l'achète à l'avance. – **3.** Oui, je le composte toujours. – **4.** Oui, je les porte toujours sur moi.

3 **1.** Oui, je les cire de temps en temps. – **2.** Oui, je le fais le matin. – **3.** Oui, je l'éteins en sortant. – **4.** Oui, je les enlève en rentrant. – **5.** Oui, je les invite le samedi.

Page 41

1 **1.** Oui, je les mange cuits. – **2.** Oui, j'en mange le soir. – **3.** Oui, j'en bois le matin. – **4.** Oui, je le garde dans une boîte.

2 **1.** Oui, je la porte au bras gauche. – **2.** Oui, j'en ai plusieurs. – **3.** Oui, je les lis le soir. – **4.** J'en supprime - beaucoup.

3 **1.** Oui, j'en connais quelques-unes. – **2.** Oui, j'en ai quelques-uns. – **3.** Oui, j'en fais quelques-uns. – **4.** Oui, j'en envoie quelques-unes. – **5.** J'en connais quelques-uns.

Page 42

1 **1.** Oui, je lui parle en français. – **2.** Oui, je leur écris régulièrement. – **3.** Oui, je leur réponds rapidement. – **4.** Oui, je lui dicte des lettres. – **5.** Oui, je leur raconte des histoires. – **6.** Oui, je lui dis bonjour. – **7.** Oui, je lui donne des vitamines. – **8.** Oui, je lui prête mon vélo.

2 **1.** Oui, c'est fou comme il lui va bien. – **2.** Oui, c'est fou comme il lui plaît. – **3.** Oui, c'est fou comme ils leur ressemblent – **4.** Oui, c'est fou comme elles lui vont bien.

3 **1.** Mais, je leur ai déjà expliqué. – **2.** Mais, je lui ai déjà demandé. – **3.** Mais, je lui ai déjà dit. – **4.** Mais, je leur ai déjà montré.

Page 43

1 **1.** Oui, je lui dis bonjour quand je le rencontre. – **2.** Oui, je leur dis au revoir quand je les quitte. – **3.** Oui, je leur offre à boire quand je les invite. – **4.** Oui, je leur réponds toujours quand ils me parlent. – **5.** Oui, je leur apporte des fleurs quand ils m'invitent à dîner.

2 **1.** Oui, il les corrige. – **2.** Oui, il leur donne des exercices. – **3.** Oui, il leur explique les règles. – **4.** Oui, il les aide.

3 **1.** Je lui parle. – **2.** Je l'écoute. – **3.** Je le regarde. – **4.** Je lui souris. – **5.** Je lui écris. – **6.** Je l'attends. – **7.** Je l'embrasse. – **8.** Je l'aime.

Page 44

1 **1.** Oui, je les lui laisse. – **2.** Oui, il me l'apporte. – **3.** Oui, je lui en donne. – **4.** Oui, je me les lave chaque jour. – **5.** Oui, je lui en pose. – **6.** Oui, je leur en prête. – **7.** Oui, je m'en sers beaucoup. – **8.** Oui, on me les livre à domicile.

2 **1.** Si tu veux, je te la présente. – **2.** Si tu veux, je te le donne. – **3.** Si tu veux, je t'en prête. – **4.** Si tu veux, je te l'explique.

3 **1.** Oui, je leur en donne souvent. – **2.** Oui, elle leur en raconte beaucoup. – **3.** Oui, je lui en offre parfois. – **4.** Oui, je leur en parle souvent.

Page 45

1 **1.** Non, je ne le lis pas tous les jours. – **2.** Non, je ne leur parle pas en français. – **3.** Non, je n'en mange pas beaucoup. – **4.** Non, je n'y crois pas. – **5.** Non, je ne le tutoie pas. – **6.** Non, je ne lui en pose pas. – **7.** Non, je ne lui en offre pas. – **8.** Non, je ne leur en donne pas.

2 **1.** Oh non, tu ne me déranges pas du tout. – **2.** Oh non, je ne le reconnais pas du tout. – **3.** Oh non, vous ne m'ennuyez pas du tout. – **4.** Ça ne m'intéresse pas du tout. – **5.** Oh non, il n'y en a plus du tout. – **6.** Oh non, ça ne te va pas du tout.

Page 46

1 **1.** Oui, je crois que c'est elle. – **2.** Oui, je crois que c'est lui. – **3.** Oui, je crois que c'est elle. – **4.** Oui, je crois que ce sont eux.

2 **1.** Non, lui, il ne fume pas. – **2.** Non, eux, ils ne sont pas russes. – **3.** Non, elle, elle ne conduit pas. – **4.** Non, eux, ils ne parlent pas anglais.

3 **1.** Moi non plus. – **2.** Lui non plus. – **3.** Eux non plus. – **4.** Nous non plus.

4 **1.** Lui, par contre, il déjeune à la maison. – **2.** Eux, par contre, ils font leurs devoirs à la maison. – **3.** Lui, par contre, il déjeune à la maison. – **4.** Elles, par contre, elles aiment jouer à la maison.

Page 47

1 **1.** Elle s'y intéresse beaucoup. – **2.** Elle s'intéresse beaucoup à lui.– **3.** Elle y passe trop de temps. – **4.** Elle dépend trop d'eux.

2 **1.** Oui, j'en suis content. – **2.** Oui, je suis content d'elle. – **3.** Oui, je m'en souviens. – **4.** Oui, je me souviens de lui.

3 **1.** Oui, j'en parle souvent. – **2.** Oui, je parle parfois de lui. – **3.** Oui, je pense souvent à eux. – **4.** Oui, je m'occupe beaucoup d'elles. – **5.** Oui, je m'y intéresse depuis toujours.

Page 48

1 **1.** Mangez des fruits ! – **2.** Respirez ! – **3.** Faites du sport ! – **4.** Soyez positif ! – **5.** Ayez confiance ! – **6.** Soyez patient ! – **7.** Sachez dire « non » !

2 **1.** Ne mangez pas de viande. – **2.** Ne fumez pas. – **3.** Ne prenez pas de poids. – **4.** Ne soyez pas négatif. – **5.** Ne soyez pas stressé. – **6.** N'ayez pas peur. – **7.** N'ayez pas de regrets.

3 **1.** Remplissez ce formulaire. – **2.** Obéissez aux consignes. – **3.** Finissez votre exercice. – **4.** Réfléchissez avant de parler.

4 **1.** Mettez la ceinture ! – **2.** Ralentissez au feu orange ! – **3.** Faites attention ! – **4.** Soyez prudent !

Page 49

1 **1.** Mets-la ! – **2.** Range-les ! – **3.** Prends-en ! – **4.** Vas-y ! – **5.** Téléphone-lui !

2 **1.** Dépêche-toi ! Dépêchez-vous ! – **2.** Habille-toi ! Habillez-vous ! – **3.** Arrête-toi ! Arrêtez-vous ! – **4.** Tais-toi ! Taisez-vous ! – **5.** Assieds-toi ! Asseyez-vous !

3 **1.** Oui, invite-les ! Non, ne les invite pas ! – **2.** Oui, demande-leur ! Non, ne leur demande pas ! – **3.** Oui, vas-y ! Non, n'y va pas ! – **4.** Oui, attends-moi ! Non, ne m'attends pas ! – **5.** Oui, assieds-toi ! Non, ne t'assieds pas !

4 **1.** Non, porte-les, j'ai oublié de les porter. – **2.** Non, mets-en, j'ai oublié d'en mettre. – **3.** Non, téléphone-lui j'ai oublié de lui téléphoner. – **4.** Non, vas-y, j'ai oublié d'y aller. – **5.** Non, achètes-en, j'ai oublié d'en acheter.

Page 50

1 **1.** Oui, c'est un homme qui est très intéressant. – **2.** Oui, c'est un film qui est très ennuyeux. – **3.** Oui, c'est une femme qui est très belle. – **4.** Oui, c'est une histoire qui est très triste.

2 **1.** Prenez la lettre qui est dans le tiroir. – **2.** Prenez la veste qui est sur la chaise. – **3.** Prenez la chaise qui est près du bureau. – **4.** Prenez les clés qui sont sur l'étagère.

3 **1.** Je déteste les hommes qui ont des cravates trop voyantes. – **2.** Je déteste les hommes qui font trop de compliments. – **3.** Je déteste les hommes qui veulent plaire à tout le monde. – **4.** Je déteste les hommes qui ne savent pas écouter.

4 **1.** C'est le nouveau stagiaire anglais que vous attendez ? – **2.** C'est votre vieille moto anglaise que vous vendez ? – **3.** C'est votre jeune correspondante anglaise que vous recevez ? – **4.** C'est une bonne grammaire anglaise que vous cherchez ?

Page 51

1 **1.** Oui, c'est l'immeuble où j'habite. – **2.** Oui, c'est le restaurant où je déjeune. – **3.** Oui, c'est la pièce où je travaille. – **4.** Oui, c'est la chambre où je dors.

2 **1.** C'est le mois où je pars en vacances, moi aussi. – **2.** C'est l'heure où je déjeune, moi aussi. – **3.** C'est le jour où je fais des courses, moi aussi. – **4.** C'est l'année où j'ai passé mon permis, moi aussi.

3 **1.** Il est tombé amoureux le jour où il l'a vue. – **2.** Ils ont déménagé l'année où ils se sont mariés. – **3.** Je sortais de chez moi au moment où tu as appelé. – **4.** On s'est connus à l'époque où on était à l'université. – **5.** Je suis entré dans la salle au moment où le film commençait. – **6.** J'avais un chien à l'époque où j'habitais à la campagne.

Page 52

1 **1.** Oui, c'est un problème dont je parle parfois. – **2.** Oui, c'est un service dont je suis responsable. – **3.** Oui, c'est une machine dont je me sers. – **4.** Oui, c'est un document dont j'ai besoin.

2 **1.** J'aime la façon dont il marche. – **2.** J'aime la façon dont il parle. – **3.** J'aime la façon dont il rit. – **4.** J'aime la façon dont il s'habille.

3 **1.** Quel est le volcan qui a détruit Pompéi ? – **2.** Quelle est l'île où Christophe Colomb a débarqué ? – **3.** Quel est le jour où a lieu la fête de la musique ? – **4.** Quel est l'objet dont on se sert pour ouvrir une bouteille ?

4 **1.** Comment s'appelle le film dont on t'a parlé ? – **2.** Comment s'appelle le musée près duquel tu travailles ? – **3.** Comment s'appelle le livre de grammaire dont tu as besoin ? – **4.** Comment s'appelle le parc en face duquel tu travailles ?

Page 53

1 **1.** C'est effectivement un point sur lequel il faut insister. – **2.** C'est effectivement une éventualité à laquelle il faut penser. – **3.** Ce sont effectivement des demandes auxquelles il faut répondre. – **4.** Ce sont effectivement des idées pour lesquelles il faut se battre.

2 **1.** C'est une réunion à laquelle vous devriez participer. – **2.** C'est une demande à laquelle vous devriez répondre. – **3.** Ce sont des détails auxquels vous devriez penser. – **4.** C'est un stage auquel vous devriez assister.

3 **1.** Quel est le produit avec lequel tu fais la vaisselle ? – **2.** Quelle est la poubelle dans laquelle tu jettes les journaux ? – **3.** Quel est le torchon avec lequel tu essuies la vaisselle ? – **4.** Quelle est l'étagère sur laquelle tu mets les verres ?

4 **1.** Le restaurant au-dessus duquel j'habite est très connu. – **2.** L'immeuble à côté duquel je travaille est en travaux. – **3.** Le jardin au milieu duquel je lis est en fleurs. – **4.** Le radiateur près duquel je travaille est très bruyant.

Page 54

1 **1.** Comment es-tu tombée ? – **2.** Où as-tu mal ? – **3.** Comment t'appelles-tu ? – **4.** Où habites-tu ?

2 **1.** Alors, où travaillez-vous ? – **2.** Alors, à quelle heure déjeunez-vous ? – **3.** Alors, comment allez-vous au bureau ? – **4.** Alors, combien gagnez-vous ?

3 **1.** Où habite-t-il ? – **2.** Quand arrive-t-il ? – **3.** Comment voyage-t-il ? – **4.** Quand repart-il ?

4 **1.** Est-ce que vous aimez les jus de fruits ? Qu'est-ce que vous aimez comme jus de fruits ? – **2.** Est-ce que vous aimez le vin ? Qu'est-ce que vous aimez comme vin ? – **3.** Est-ce que vous aimez les glaces ? Qu'est-ce que vous aimez comme glaces ? – **4.** Est-ce que vous aimez les desserts ? Qu'est-ce que vous aimez comme desserts ?

Page 55

1 **1.** Qu'est-ce que tu as vu ? – **2.** Qu'est-ce qu'il a dit ? – **3.** Qu'est-ce qu'ils ont cuisiné ? – **4.** Qu'est-ce que tu as mangé ?

2 **1.** Qui est-ce que vous avez croisé ? – **2.** Qui est-ce que vous avez vu ? – **3.** Qui est-ce qu'ils ont invité ? – **4.** Qui est-ce que vous aimeriez rencontrer ?

3 **1.** Qu'est-ce qui fait du bruit ? – **2.** Qu'est-ce qui est en métal ? – **3.** Qu'est-ce qui est cassé ? – **4.** Qu'est-ce qui coûte cher ?

4 **1.** Qui est-ce qui m'a téléphoné ? – **2.** Qui est-ce qui m'a écrit ? – **3.** Qui est-ce qui m'a cherché ? – **4.** Qui est-ce qui m'a attendu ?

Page 56

1 **1.** Quel est votre prénom ? – **2.** Quelle est votre nationalité ? – **3.** Quelle est votre adresse ? – **4.** Quel est votre numéro de téléphone ?

2 **1.** Quel temps fait-il ? – **2.** Quel jour sommes-nous ? – **3.** Quel âge avez-vous ? – **4.** Quel exercice faites-vous ?

3 **1.** De quel modèle s'agit-il ? – **2.** De quelle machine s'agit-il ? – **3.** De quel programme s'agit-il ? – **4.** De quelle voiture s'agit-il ?

4 **1.** Laquelle ? la grande ou la petite ? – **2.** Lesquels ? les grands ou les petits ? – **3.** Lesquelles ? les grandes ou les petites ? – **4.** Lesquels ? les grands ou les petits ?

Page 57

1 **1.** Il lui demande si elle est libre ce soir. – **2.** Il lui demande si elle a envie de sortir. – **3.** Il lui demande si elle veut aller au ciné. – **4.** Il lui demande si elle aime les films policiers.

2 **1.** Dis-moi ce que tu veux boire. – **2.** Dis-moi ce qui te fait rire. – **3.** Dis-moi ce que tu regardes. – **4.** Dis-moi ce qui est si drôle.

3 **1.** Il dit qu'il est fatigué et qu'il a envie de dormir. – **2.** Il dit qu'il est pressé et qu'il doit partir. – **3.** Il demande s'il reste du café et si quelqu'un en veut. – **4.** Il demande s'il pleut et s'il fait froid. – **5.** Il demande ce qui se passe dehors. – **6.** Il demande ce qu'il y a comme dessert. – **7.** Il nous dit d'attacher notre ceinture et de ralentir. – **8.** Il nous dit de fermer la porte et d'éteindre la lumière.

Page 58

1 **1.** Je ne mets jamais de pyjama pour dormir. – **2.** Je ne me couche jamais après minuit. – **3.** Je ne prends jamais de somnifère. – **4.** Je ne rêve jamais la nuit.

2 **1.** Non, je n'en fais plus. – **2.** Non, je ne l'ai plus. – **3.** Non, je ne les vois plus. – **4.** Non, je n'y vais plus.

3 **1.** Non, ils ne sont pas encore là. – **2.** Non, il n'est pas encore prêt. – **3.** Non, il n'a pas encore commencé. – **4.** Non, je n'ai pas encore fini.

4 **1.** Il ne pleut plus. – **2.** Tu n'es jamais à l'heure. – **3.** Je n'ai plus faim. – **4.** Ils ne sont pas encore à la retraite. – **5.** Elle n'est pas encore mariée. – **6.** Je ne bois jamais de vin. – **7.** Elle n'est jamais contente. – **8.** Je ne travaille jamais le samedi.

Page 59

1 **1.** Non, je ne connais personne. – **2.** Non, je n'ai rencontré personne. – **3.** Non, je ne veux parler à personne. – **4.** Non, il n'y a personne.

2 **1.** Non, je ne mange rien le matin. – **2.** Non, je ne fais rien le samedi soir. – **3.** Non, je n'ai besoin de rien. – **4.** Non, je ne lis rien d'intéressant en ce moment.

3 **1.** Moi, je n'en ai vu aucun. – **2.** Moi, je n'en ai aucun. – **3.** Moi, je n'en connais aucune. – **4.** Moi, je n'en ai fait aucun.

4 **1.** Non, je n'en ai mangé que deux tranches. – **2.** Non, je n'en ai invité qu'une dizaine. – **3.** Non, je n'en ai fait qu'une partie. – **4.** Non, je n'en ai bu qu'une tasse.

Page 60

1 **1.** Arrête de manger ! Tu vas grossir. – **2.** Prenez un parapluie ! Il va pleuvoir. – **3.** Attachez vos ceintures ! On va décoller. – **4.** Ne réveille pas le bébé ! Il va pleurer.

2 **1.** Je ne sais pas ce que je vais faire. – **2.** Je ne sais pas ce que je vais acheter. – **3.** Je ne sais pas ce que je vais voir. – **4.** Je ne sais pas ce que je vais mettre.

3 **1.** Pas encore, mais je vais bientôt partir. – **2.** Pas encore, mais il va bientôt commencer. – **3.** Pas encore, mais ils vont bientôt fermer. – **4.** Pas encore, mais nous allons bientôt dîner.

4 **1.** Demain, je vais rentrer plus tôt. – **2.** Demain, je vais partir plus tôt. – **3.** Demain, je vais dîner plus tôt. – **4.** Demain, je vais me coucher plus tôt.

Page 61

1 **1.** Attends, je vais t'accompagner. – **2.** Attends, je vais en acheter. – **3.** Attends, je vais la laver. – **4.** Attends, je vais les arroser. – **5.** Attends, je vais lui parler. – **6.** Attends, je vais les aider.

2 **1.** Attache ton écharpe sinon tu vas la perdre. – **2.** Couvre-toi sinon tu vas t'enrhumer. – **3.** Ne touche pas la casserole sinon tu vas te brûler. – **4.** Prends tes clés sinon tu vas les oublier.

3 **1.** Oui, je crois qu'il va y avoir du brouillard. – **2.** Oui, je crois qu'il va y avoir des embouteillages. – **3.** Oui, je crois qu'il va y avoir des inondations. – **4.** Oui, je crois qu'il va y avoir du monde.

Page 62

1 **1.** Le directeur est là ? Je peux lui parler ? – **2.** L'ordinateur est réparé ? Je peux l'utiliser ? – **3.** La salle de réunion est libre ? Je peux y aller ? – **4.** Les rapports sont prêts ? Je peux les envoyer ?

2 **1.** Je dois me lever à 7 heures. – **2.** Je dois le rencontrer à la gare. – **3.** Je dois les recevoir au bureau. – **4.** Je dois y être à 20 heures.

3 **1.** Oui, ils peuvent le regarder sans problème. – **2.** Oui, vous pouvez y dîner sans problème. – **3.** Oui, elle peut s'en servir sans problème. – **4.** Oui, vous pouvez en manger sans problème.

4 **1.** Je dois les réveiller à 8 heures. – **2.** Je préfère le boire sans sucre. – **3.** J'aime y aller le soir. – **4.** Je pense en faire plusieurs.

Page 63

1 **1.** Mais non, je ne vais pas être en retard. – **2.** Mais non, il ne va pas prendre froid. – **3.** Mais non, il ne va pas pleuvoir. – **4.** Mais non, nous n'allons pas rentrer tard.

2 **1.** Mais non, il ne va pas me mordre. – **2.** Mais non, je ne vais pas la tacher. – **3.** Mais non, ça ne va pas les réveiller. – **4.** Mais non, on ne va pas le rater.

3 **1.** Oui, vous devez la laver et l'étendre. – **2.** Oui, vous devez l'essuyer et la ranger. – **3.** Oui, vous devez l'aspirer et le cirer. – **4.** Oui, vous devez les brosser et les cirer.

4 **1.** Non, il ne faut pas en manger. – **2.** Non, il ne faut pas l'utiliser. – **3.** Non, il ne faut pas lui parler. – **4.** Non, il ne faut pas lui en donner.

Page 64

1 **1.** Hier, il est arrivé à 9 heures et demie. – **2.** Hier, il est passé à 10 heures et demie. – **3.** Hier, il est resté jusqu'à midi et demi. – **4.** Hier, il est sorti à 6 heures et demie.

2 **1.** Je suis arrivé à 18 heures. – **2.** Je suis allé à l'hôtel en taxi. – **3.** Je suis passé par la porte d'Italie. – **4.** Je suis arrivé à 20 heures.

3 **1.** Oui, je me suis assis dans les jardins. – **2.** Oui, je me suis arrêté devant les vitrines. – **3.** Oui, je me suis trompé de chemin. – **4.** Oui, je me suis perdu dans les petites rues.

4 **1.** Ils se sont levés tôt. – **2.** Ils se sont lavés après le petit déjeuner – **3.** Ils se sont douchés. – **4.** Ils se sont habillés d'été.

Page 65

1 **1.** J'ai déjeuné à la cantine. – **2.** J'ai mangé du poisson. – **3.** J'ai rencontré Joseph. – **4.** Nous avons parlé de sport.

2 **1.** Oui, hier aussi, j'ai commencé à 8 heures. – **2.** Oui, hier aussi, j'ai dîné au restaurant. – **3.** Oui, hier aussi, j'ai regardé le journal télévisé. – **4.** Oui, hier aussi, j'ai bu du vin.

3 **1.** L'année dernière aussi ils ont diminué. – **2.** L'été dernier aussi ils ont travaillé. – **3.** Dimanche dernier aussi elle a gagné. – **4.** Hier aussi il a neigé sur toute la France.

4 **1.** Trop tard, j'ai signé. – **2.** Trop tard, j'ai refusé. – **3.** Trop tard, j'ai démissionné. – **4.** Trop tard, j'ai parlé.

Page 66

1 **1.** J'ai bu. Vous avez bu. – **2.** J'ai entendu. Vous avez entendu. – **3.** J'ai attendu. Vous avez attendu. – **4.** J'ai vu. Vous avez vu. – **5.** J'ai pris. Vous avez pris. – **6.** J'ai appris. Vous avez appris. – **7.** J'ai compris. Vous avez compris. – **8.** J'ai mis. Vous avez mis.

2 **1.** Elle a bu un café et elle a mis deux sucres. – **2.** Tu as reçu un message et tu as répondu. – **3.** Nous avons attendu le bus et nous avons lu le journal. – **4.** Il a bu du whisky, il a été malade et il a eu mal à la tête.

3 **1.** On m'a dit de répondre, alors j'ai répondu. – **2.** On m'a dit d'attendre, alors j'ai attendu. – **3.** On m'a dit de courir, alors j'ai couru.

4 **1.** J'ai bu un café. – **2.** J'ai pris une douche. – **3.** J'ai lu un livre. – **4.** J'ai eu mal à la tête. – **5.** J'ai été malade. – **6.** J'ai fait de la gymnastique.

Page 67

1 **1.** Demain aussi, je vais travailler tard. – **2.** Hier aussi, j'ai déjeuné au restaurant. – **3.** Hier aussi, je suis rentré à pied. – **4.** Demain aussi, je vais aller à la piscine. – **5.** Hier aussi, j'ai pris un bain brûlant. – **6.** Hier aussi, je me suis couché tôt. – **7.** La semaine prochaine aussi, je vais avoir des réunions. – **8.** L'année dernière aussi, j'ai payé beaucoup d'impôts.

2 **1.** Demain, il va lire le journal. Hier, il a lu le journal. – **2.** Demain, tu vas faire du yoga. Hier, tu as fait du yoga. – **3.** Demain, il va recevoir du courrier. Hier, il a reçu du courrier. – **4.** Demain, elle va venir chez moi. Hier, elle est venue chez moi. – **5.** Demain, je vais dormir 8 heures. Hier, j'ai dormi 8 heures. – **6.** Demain, nous allons suivre un cours de français. Hier, nous avons suivi un cours de français. – **7.** Demain, elle va rester chez elle. Hier, elle est restée chez elle. – **8.** Demain, ils vont aller au bureau. Hier, ils sont allés au bureau.

Page 68

1 **1.** Moi, je n'ai pas ri. – **2.** Moi, je n'ai pas pleuré. – **3.** Moi, je n'ai pas crié. – **4.** Moi, je n'ai pas applaudi.

2 **1.** Vous avez lu ou vous n'avez pas lu ma lettre. – **2.** Vous avez gardé ou vous n'avez pas gardé ma lettre. – **3.** Vous avez répondu ou vous n'avez pas répondu à ma lettre. – **4.** Vous avez réfléchi ou vous n'avez pas réfléchi à ma lettre.

3 **1.** J'ai fini ma viande mais je n'ai pas fini mes frites. – **2.** J'ai pris un fromage mais je n'ai pas pris de dessert. – **3.** J'ai bu une bière mais je n'ai pas bu de café. – **4.** Je suis allé à la banque mais je ne suis pas allé à la poste. – **5.** J'ai lu le journal mais je n'ai pas lu la revue.

4 **1.** Moi, je n'ai jamais travaillé la nuit. – **2.** Moi, je n'ai jamais aimé le football. – **3.** Moi, je n'ai jamais pris de somnifère. – **4.** Moi, je ne me suis jamais couché tard. – **5.** Moi, je ne suis jamais parti en août.

Page 69

1 **1.** Oui, je les ai écoutés en rentrant. – **2.** Oui, je l'ai rangé en rentrant. – **3.** Oui, je les ai enlevées en rentrant. – **4.** Oui, je l'ai regardée en rentrant.

2 **1.** Ça y est, je l'ai ouverte ! – **2.** Ça y est, je les ai rangés ! – **3.** Ça y est, je l'ai apprise ! – **4.** Ça y est, je les ai prises ! – **5.** Ça y est, je l'ai appelée ! – **6.** Ça y est, je les ai mises ! – **7.** Ça y est, je lui ai téléphoné ! – **8.** Ça y est, je lui ai écrit !

3 **1.** Non, mais j'en ai mis pendant des années. – **2.** Non, mais il en a fait pendant des années. – **3.** Non, mais j'en ai pris pendant des années.

4 **1.** Eh bien, en réalité je ne les ai jamais invités. – **2.** Eh bien, en réalité je ne lui ai jamais écrit. – **3.** Eh bien, en réalité je n'en ai jamais mangé.

Page 70

1 **1.** Avant, je travaillais en Angleterre. – **2.** Avant, j'avais une maison en Angleterre. – **3.** Avant, je parlais anglais. – **4.** Avant, je lisais les journaux anglais.

2 **1.** Avant, je ne connaissais pas Paris. – **2.** Avant, je ne savais pas utiliser le métro. – **3.** Avant, je ne buvais pas de vin rouge. – **4.** Avant, je n'avais pas d'amis français.

3 **1.** Avant je mangeais beaucoup et je buvais peu. – **2.** Avant je travaillais peu et je lisais beaucoup – **3.** Avant j'avais une petite voiture et je conduisais vite. – **4.** Avant je voyais bien et j'entendais bien. – **5.** Avant j'étais mince et je faisais beaucoup de sport. – **6.** Avant j'avais beaucoup d'amis et j'étais optimiste.

Page 71

1 **1.** Je prenais un bain quand, tout à coup, le téléphone a sonné. – **2.** Je dormais quand, tout à coup, j'ai entendu un cri. – **3.** Je conduisais quand, tout à coup, un pneu a éclaté. – **4.** Je travaillais quand, tout à coup, la porte s'est ouverte.

2 **1.** Le chat a mangé le rôti pendant que je lisais. – **2.** L'orage a éclaté pendant qu'on se promenait. – **3.** Ils sont sortis pendant que je dormais. – **4.** Il a eu un accident pendant qu'il était en vacances.

3 **1.** Ça s'est passé à la station Opéra. – **2.** C'était samedi dernier. – **3.** J'attendais. – **4.** Ils s'embrassaient. – **5.** Il est parti dans le tunnel. – **6.** Il a pris un sac. – **7.** J'ai entendu un cri.

Page 72

1 **1.** Je ne sais pas, mais quand je suis arrivé(e) il n'avait pas encore commencé. – **2.** Je ne sais pas, mais quand je suis arrivé(e) elle n'était pas encore fermée. – **3.** Je ne sais pas, mais quand je suis arrivé(e) il n'était pas encore réparé. – **4.** Je ne sais pas, mais quand je suis arrivé(e) il n'était pas encore passé. – **5.** Je ne sais pas, mais quand je suis arrivé(e) elle n'était pas encore partie.

2 **1.** Il avait mal au ventre parce qu'il avait trop mangé. – **2.** Il avait mal aux pieds parce qu'il avait trop marché. – **3.** Il avait mal aux yeux parce qu'il avait trop pleuré. – **4.** Il avait mal aux jambes parce qu'il avait trop dansé.

3 **1.** Le mois dernier, elle avait déjà pris une semaine de congés.– **2.** Le mois dernier, ils avaient déjà eu une augmentation. – **3.** Le mois dernier, ils avaient déjà fait une grande fête. – **4.** Le mois dernier, il avait déjà rencontré l'amour de sa vie.

Page 73

1 **1.** L'Amérique a été découverte par Christophe Colomb. – **2.** *Le Petit Prince* a été écrit par Saint-Exupéry. – **3.** La pénicilline a été découverte par Fleming. – **4.** L'imprimerie a été inventée par Gutenberg.

2 **1.** C'est fait : la date a été reportée. – **2.** C'est fait : les clients ont été avertis. – **3.** C'est fait : le courrier a été envoyé. – **4.** C'est fait : les dossiers ont été classés.

3 **1.** Plusieurs personnes ont été arrêtées par la police. – **2.** Deux hommes ont été identifiés par des témoins. – **3.** Les suspects ont été interrogés par le commissaire. – **4.** Les malfaiteurs ont été condamnés par le juge.

4 **1.** Un nouveau maire a été élu. – **2.** La tour Eiffel a été repeinte. – **3.** Une nouvelle bibliothèque a été construite. – **4.** Deux écoles maternelles ont été inaugurées.

Page 74

1 **1.** J'habite à Paris depuis treize ans. – **2.** Je suis marié depuis cinq ans. – **3.** Je fais du piano depuis six mois. – **4.** Il pleut comme ça depuis une semaine.

2 **1.** Moi, ça fait deux ans que je cherche ! – **2.** Moi, ça fait un mois que j'ai mal à la gorge ! – **3.** Moi, ça fait deux ans que j'étudie le français ! – **4.** Moi, ça fait vingt ans que je suis marié !

3 **1.** Il a commencé il y a dix minutes. – **2.** Il finira dans deux heures. – **3.** Il est arrivé il y a 20 minutes. – **4.** Il repartira dans une heure. – **5.** Il est parti il y a 2 heures. – **6.** Il arrivera dans une demi-heure.

Page 75

1 **1.** Pendant combien de temps ? – **2.** Pour combien de temps ? – **3.** Pendant combien de temps ? – **4.** Pendant combien de temps ? – **5.** Pour combien de temps ? – **6.** Pour combien de temps ?

2 **1.** Moi aussi, ça fait longtemps que je n'ai plus fait d'auto-stop. – **2.** Moi aussi, ça fait longtemps que je ne suis plus allé au théâtre. – **3.** Moi aussi, ça fait longtemps que je n'ai plus fait de ski. – **4.** Moi aussi, ça fait longtemps que je n'ai plus vu Max.

3 **1.** J'ai marché pendant 2 h. J'ai fait 10 km en 2 h. – **2.** J'ai étudié pendant 4 h. J'ai fait 50 exercices en 4 h. – **3.** J'ai voyagé pendant 3 jours. J'ai fait 5 000 km en 3 jours. – **4.** J'ai écrit pendant 3 mois. J'ai fait 200 pages en 3 mois.

Page 76

1 **1.** Oui et d'après la météo il fera encore chaud demain. – **2.** Oui et d'après la météo il pleuvra encore demain. – **3.** Oui et d'après la météo il neigera encore demain. – **4.** Oui et d'après la météo il y aura encore du vent demain.

2 **1.** Je reviendrai bientôt. – **2.** Je téléphonerai bientôt. – **3.** Je vous écrirai bientôt. – **4.** Nous nous reverrons bientôt.

3 **1.** Non, il apportera le courrier plus tard. – **2.** Non, ils iront à la cantine plus tard. – **3.** Non, ils feront une pause plus tard.

4 **1.** Je mangerai plus de légumes. – **2.** Je boirai moins de café. – **3.** Je mettrai plus d'argent de côté. – **4.** Je serai plus ponctuel. – **5.** Je lirai plus de romans français. – **6.** Je serai moins impatient.

Page 77

1 **1.** Si vous trouvez, vous gagnerez. – **2.** Si vous gagnez, vous reviendrez. – **3.** Si vous revenez, vous rejouerez. – **4.** Si vous perdez, vous partirez.

2 **1.** S'il pleut, j'irai au cinéma. – **2.** Si j'ai faim, je mangerai des pâtes. – **3.** Si je sors, je mettrai mon imper. – **4.** Si j'ai un problème, j'appellerai papa.

3 **1.** Oui, si je change de voiture, j'achèterai une Clio. – **2.** Oui, si je pars en vacances, j'irai en Italie. – **3.** Oui, si j'ai mon permis, j'achèterai une voiture. – **4.** Oui, si je fais une fête, j'avertirai mes voisins. – **5.** Oui, si j'ai une promotion, je vous inviterai. – **6.** Oui, si je me marie, je ferai une grande fête.

Page 78

1 **1.** Est-ce que je pourrais avoir une carafe d'eau ? – **2.** Est-ce que je pourrais avoir du sucre ? – **3.** Est-ce que je pourrais avoir un peu de lait ? – **4.** Est-ce que je pourrais avoir une autre cuillère ?

2 **1.** Tu devrais en faire plus. – **2.** Tu devrais en boire moins. – **3.** Tu devrais les voir plus. – **4.** Tu devrais les arroser moins.

3 **1.** J'aimerais savoir cuisiner. – **2.** J'aimerais connaître des recettes. – **3.** J'aimerais savoir naviguer. – **4.** J'aimerais connaître les îles grecques.

4 **1.** Je ferais bien une sieste. – **2.** Je boirais bien une bière. – **3.** J'irais bien à la plage. – **4.** Je mangerais bien un gâteau. – **5.** J'irais bien au cinéma.

Page 79

1 **1.** Si j'avais dix-huit ans, je voterais. – **2.** Si j'habitais à la campagne, j'aurais un chien. – **3.** Si j'étais en vacances, j'irais à la mer. – **4.** S'il faisait beau, je sortirais.

2 **1.** Si vous aviez un enfant, comment l'appelleriez-vous ? – **2.** Si vous aviez des vacances, où iriez-vous ? – **3.** Si vous aviez faim, que mangeriez-vous ? – **4.** Si vous aviez du temps, que feriez-vous ?

3 **1.** Moi, si j'avais de l'argent, je voyagerais. – **2.** Moi, si j'avais un piano, j'en jouerais. – **3.** Moi, si j'avais un vélo, je m'en servirais. – **4.** Moi, si j'avais des bijoux, je les mettrais. – **5.** Moi, si j'avais des disques d'opéra, je les écouterais. – **6.** Moi, si j'avais des chaussures en cuir, je les cirerais.

Page 80

1 **1.** Si j'avais su, je ne lui aurais pas téléphoné. – **2.** Si j'avais su, je n'en aurais pas mangé. – **3.** Si j'avais su, je ne les aurais pas invités. – **4.** Si j'avais su, je ne l'aurais pas regardée.

2 **1.** Je n'avais pas le temps, sinon j'aurais téléphoné. – **2.** Je n'avais pas le temps, sinon j'aurais attendu. – **3.** Je n'avais pas le temps, sinon j'aurais répondu. – **4.** Je n'avais pas le temps, sinon je serais revenue.

3 **1.** C'est vrai, j'aurais dû partir plus tôt. – **2.** C'est vrai, ils auraient dû prendre leurs billets. – **3.** C'est vrai, elle aurait dû réserver un hôtel.

4 **1.** Au cas où il y aurait une grève de métro, prenez un taxi. – **2.** Au cas où il ferait plus froid, augmentez le chauffage. – **3.** Au cas où vous seriez libre, appelez-moi.

Page 81

1 **1.** Oui, on m'a dit qu'il était en panne. – **2.** Oui, on m'a dit qu'il y avait du couscous. – **3.** Oui, on m'a dit qu'on avait volé le vélo du professeur. – **4.** Oui, on m'a dit qu'elle allait démissionner.

2 **1.** Oui, on m'a dit qu'elle fermerait cet été. – **2.** Oui, on m'a dit que nous ferions une fête. – **3.** Oui, on m'a dit qu'il y aurait un orchestre de jazz – **4.** Oui, on m'a dit qu'on danserait toute la nuit.

3 **1.** Il nous a demandé si le vin était bon. – **2.** Il nous a demandé s'il pouvait enlever les assiettes. – **3.** Il nous a demandé si nous prendrions du fromage. – **4.** Il nous a demandé si nous avions bien dîné.

4 **1.** Elle lui a demandé ce qu'il lisait. – **2.** Elle lui a demandé ce qu'il avait fait samedi. – **3.** Elle lui a demandé ce qu'il allait faire ce soir. – **4.** Elle lui a demandé ce qu'il ferait cet été.

Page 82

1 **1.** Oui, il faut que nous écoutions des cassettes. – **2.** Oui, il faut que nous notions du vocabulaire. – **3.** Oui, il faut que nous répétions des phrases. – **4.** Oui, il faut que nous regardions des films français.

2 **1.** Il faut vraiment que je fasse mon lit maintenant ? – **2.** Il faut vraiment que je prenne une douche maintenant ? – **3.** Il faut vraiment que j'aille chercher du pain maintenant ? – **4.** Il faut vraiment que j'écrive à ma grand-mère maintenant ?

3 **1.** À quelle heure faut-il que je parte ? – **2.** Où faut-il que j'aille ? – **3.** Que faut-il que je choisisse ? – **4.** Pourquoi faut-il que je sorte ? – **5.** Que faut-il que je dise ? – **6.** Où faut-il que je dorme ? – **7.** Où faut-il que je le mette ? – **8.** Que faut-il que je lui dise ?

Page 83

1 **1.** Je ne sais pas, mais j'aimerais qu'elle vienne. – **2.** Je ne sais pas, mais j'aimerais qu'ils partent. – **3.** Je ne sais pas, mais j'aimerais qu'ils reviennent. – **4.** Je ne sais pas, mais j'aimerais qu'il réussisse.

2 **1.** Je crois qu'il va pleuvoir. – **2.** Je souhaite qu'il pleuve. – **3.** Je constate qu'il va pleuvoir. – **4.** Je désire qu'il pleuve. – **5.** Je suppose qu'il va pleuvoir. **6.** Je déteste qu'il pleuve. – **7.** J'ai envie qu'il pleuve. – **8.** J'attends qu'il pleuve.

3 **1.** Je voudrais que tu dises ce que tu penses. – **2.** Je voudrais qu'il comprenne ce qui se passe. – **3.** Je voudrais qu'il connaisse la vérité. – **4.** Je voudrais qu'ils sachent où nous sommes.

4 **1.** Je suis triste qu'il parte. – **2.** Je suis heureuse qu'il revienne. – **3.** Je suis ravie qu'il m'écrive. – **4.** Je suis inquiète qu'il soit sur la route.

Page 84

1 **1.** Il est absent parce qu'il est en voyage. – **2.** Ils ne sont pas là parce qu'ils sont en grève. – **3.** Il est fermé parce qu'il est en travaux. – **4.** Ils dorment encore parce qu'ils sont en vacances.

2 **1.** Comme le directeur est en voyage, les réunions sont annulées. – **2.** Comme il fait froid, je reste à la maison. – **3.** Comme il y a des travaux, la route est barrée. – **4.** Comme ils sont en vacances. les enfants se lèvent tard.

3 **1.** Puisque tu sors, achète du pain ! – **2.** Puisqu'il pleut, rentrons à la maison ! – **3.** Puisque tu ne m'aimes plus, va-t-en ! – **4.** Puisque c'est dimanche, on peut se lever-tard !

4 **1.** C'est à cause de toi que j'ai mal travaillé. – **2.** C'est grâce à toi que j'ai fait des progrès. – **3.** C'est grâce à toi que j'ai trouvé un appartement. – **4.** C'est à cause de toi que je suis arrivé en retard.

Page 85

1 **1.** Oui, il dort malgré le bruit. – **2.** Oui, je travaille malgré la migraine. – **3.** Oui, je pars malgré le froid. – **4.** Oui, elle est adorable malgré ses défauts.

2 **1.** J'ai mangé un gros plat de pâtes. pourtant j'ai faim. – **2.** J'ai bu un litre d'eau pourtant j'ai soif. – **3.** J'ai dormi 9 heures, pourtant j'ai sommeil. – **4.** Je n'ai pas beaucoup marché pourtant j'ai mal aux pieds.

3 **1.** Il est maigre, pourtant il mange beaucoup. – **2.** Elles sont sèches, pourtant je les arrose beaucoup. – **3.** Elle s'ennuie pourtant elle sort beaucoup. – **4.** Je fais des fautes, pourtant je travaille beaucoup.

4 **1.** Elle a la grippe, mais elle travaille quand même ! – **2.** Tu as la migraine, mais tu vas danser quand même ! – **3.** Il a un grand nez, mais il est beau quand même ! – **4.** Tu as tout ce que tu veux, mais tu te plains quand même !

INDEX

Q

R

S

T

U

V

Y

N° de projet : 10252059 - janvier 2019
Imprimé en France par Estimprim - 25110 Autechaux